D1431327

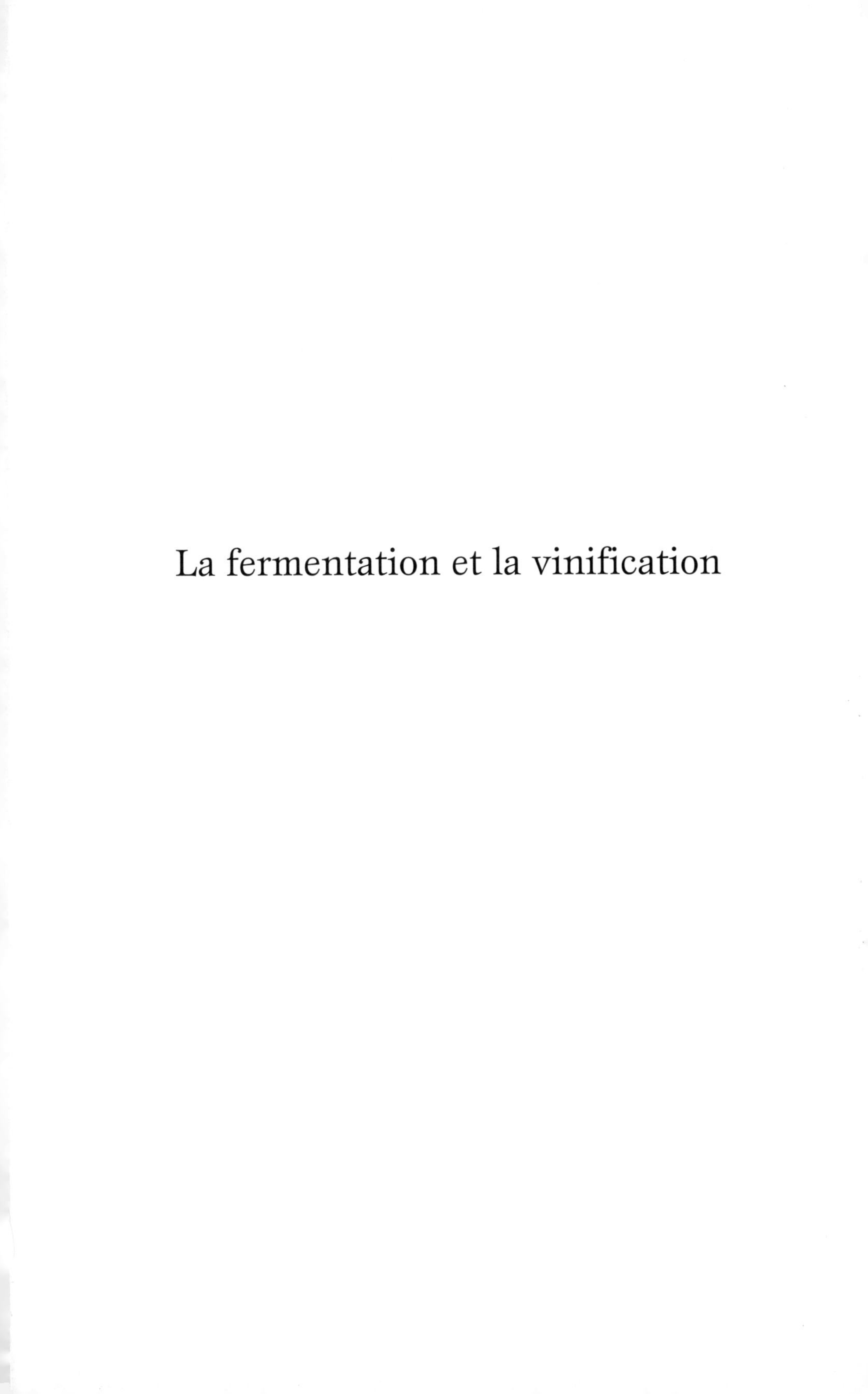

La fermentation et la vinification

Pierre Drapeau et André Vanasse

L'ENCYCLOPÉDIE DU VIN MAISON

1. La fermentation et la vinification

La publication de ce livre a été rendue possible grâce à l'aide financière
du Conseil des Arts du Canada, du ministère des Communications
du Canada, du ministère de la Culture et des Communications
du Québec et de la Société de développement des entreprises culturelles.

1781, rue Saint-Hubert
Montréal (Québec)
H2L 3Z1
Téléphone: 514.525.21.70
Télécopieur: 514.525.75.37
Adresse électronique: xyzed@mlink.net

Dépôt légal: 4e trimestre 1997
Bibliothèque nationale du Canada
Bibliothèque nationale du Québec
ISBN 2-89261-214-4

Distribution en librairie:
Dimedia inc.
539, boulevard Lebeau
Ville Saint-Laurent (Québec)
H4N 1S2
Téléphone: 514.336.39.41
Télécopieur: 514.331.39.16

Conception typographique et montage: Édiscript enr.
Maquette de la couverture: Zirval Design
Photographie de la couverture: Ludovic Fremaux

Table des matières

Chapitre 4
L'équipement de base

Chapitre 5
Le choix des moûts

Chapitre 6
La vinification

Chapitre 7
Échelles, tests et mesures

Chapitre 8
Cépages et vins maison

La publication de ce livre a été rendue possible grâce à une contribution financière de la maison Mosti Mondiale inc., importatrice, productrice et grossiste de moûts pour la fabrication de vin maison.

Mosti Mondiale inc.

6865, Route 132
Sainte-Catherine (Québec)
J0L 1E0
Téléphone : (514) 638.63.80
Télécopieur : (514) 638.70.49
Site Internet : www.mostimondiale.com

Crédits photos

Pierre Drapeau : p. 20, 31, 35, 36, 37, 38, 39, 40, 47,48, 49 (a + b), 50 (a + b), 51, 54, 55, 56, 57, 60, 61, 62, 64, 65, 67, 68, 69, 73, 78 (a + b), 82, 83 (a + b), 85, 86, 87a, 89a, 90a, 91b, 92b, 93, 94, 95a, 104, 106, 108, 169, 196, 197.
Mosti Mondiale : p. 75, 76, 77, 80, 87b, 88, 89b, 90b, 91a, 92a, 95b, 98, 107.
Lalvin : p. 28, 29.

Remerciements

Pierre Drapeau et André Vanasse tiennent à remercier le personnel de Mosti Mondiale et en particulier :

- M. Marc Moran, sans lequel ce projet n'aurait pas vu le jour. Enthousiaste, il n'a pas ménagé ses conseils et son aide pour que ce livre soit mené à terme dans les meilleures conditions possibles ;
- M. Nino Piazza, qui nous a fourni généreusement et spontanément l'aide technique, les locaux et les laboratoires de Mosti Mondiale ;
- Mlle Sigrid Gertsen-Briand, pour l'aide technologique qu'elle nous a gracieusement apportée.

Pierre Drapeau tient à rendre hommage à :

- ses deux plus importants collaborateurs, Rita, sa femme, et Pascal, son fils qui se sont dévoués sans merci pour lui permettre de terminer son livre ;
- sa clientèle qui l'a incité à poursuivre de constantes recherches pour être toujours à jour et être en mesure de répondre avec à propos aux mille questions concernant l'art de la vinification ;
- ses étudiants toujours désireux d'en apprendre plus et de parfaire leurs connaissances ;
- tous les propriétaires de boutique qui vouent une partie de leur vie à la défense et à l'illustration de cette grande et noble activité qu'est la vinification.

André Vanasse, de son côté, remercie :

- le Dr Michel Vanasse qui s'est départi (momentanément !) d'une bonne partie de sa bibliothèque portant sur l'œnologie, domaine de recherche vaste et infiniment complexe.

Les auteurs tiennent à exprimer leur gratitude aux maisons de distribution suivantes qui ont gracieusement fourni le matériel pour l'élaboration des photographies. Ce sont : ABC CORK, Distrivin, Divin Distribution, Microvin, Mosti Mondiale, Spagnol's, Vineco International Products, Vinothèque, Wine-Art, de même que la boutique Microvin et les laboratoires Lallemand, producteurs des levures Lalvin.

Chapitre I

Les raisins, le vin

La fabrication du vin remonte à la nuit des temps. Des documents très anciens en parlent : dans la Bible, par exemple, il est fait mention de la vigne ou du vin dans plus de 200 passages ! Est-il nécessaire de rappeler l'importance du pain et du vin dans la religion catholique : tous les prêtres, tous les jours à travers le monde, boivent le vin de l'Alliance en prononçant les paroles sacrées en souvenir de la Cène : « Alors, il prit le vin et dit : " Cette coupe est la nouvelle Alliance en mon sang, qui va être versé pour vous. Faites ceci en mémoire de moi. " »

L'habitude de la consommation du vin chez les Hébreux avait sans doute été acquise avant leur départ d'Égypte, sous la gouverne de Moïse. Les Égyptiens, quant à eux, avaient probablement été initiés au vin par les Perses, implantés en Mésopotamie. Et les Perses, par les Sumériens ! En fait, on peut affirmer sans risque d'erreur que le vin est de cinq à six fois millénaire ! À preuve, le musée Rothschild du domaine Mouton-Rothschild contient des artefacts qui datent du troisième millénaire avant Jésus-Christ.

Quant à savoir qui a réussi à percer le secret de la fabrication du vin, c'est une autre histoire. Il faut supposer que le vin a été découvert par hasard, à la suite d'une erreur commise par un individu imprévoyant ayant laissé fermenter du jus de raisin non purifié dont il apprécia après coup les effets enivrants.

Cependant, pour être en mesure de fabriquer le vin, il fallait comprendre le processus de fermentation. Cela dut se faire à la suite de multiples essais et erreurs, jusqu'à ce qu'on en arrive à maîtriser les procédés de vinification pour produire chaque année du vin de qualité en quantité suffisante.

On y parvint en utilisant des techniques qui ont encore cours de nos jours. Par exemple, la découverte du soufre (contenu dans l'anhydride sulfureux) — qui freine l'oxydation et aseptise le vin — semble remonter très loin dans le temps. Les Grecs anciens le connaissaient; quant à savoir si les civilisations antérieures l'utilisaient, cela est difficile à dire. On sait cependant que les Chinois se servaient du soufre pour nettoyer leurs vêtements.

Amphore grecque conservée au Musée national de Naples. Scène de vendanges et de foulage du raisin par des Amours.

On a retrouvé dans la mer Méditerranée des amphores encore pleines de vin qui dataient de quelques millénaires et dont le contenu s'était relativement bien conservé, preuve qu'on faisait non seulement le commerce du vin, mais qu'on savait aussi comment le préserver.

Le raisin : sa composition, ses propriétés

Le vin possède-t-il des vertus supérieures aux autres boissons alcooliques faites à partir de fruits ? Si l'on se fie à la fortune considérable qu'il a connue en Occident et au Proche-Orient, il faut croire que oui. Pourquoi en est-il ainsi ? Cela tient sans doute à la nature du fruit dont la composition générale présente un équilibre qui rend la boisson qu'on en fait infi-

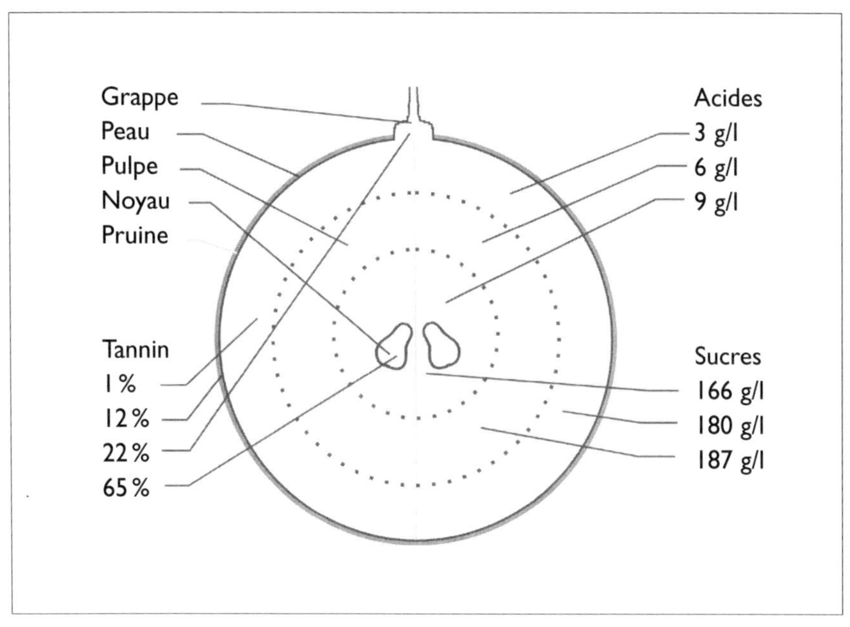

La composition du raisin.

niment plus agréable que d'autres faites aussi à partir de fruits, comme le cidre, dont le goût est plus acidulé.

Pour mieux comprendre les propriétés du raisin, examinons les diverses parties du fruit. Comme on peut le remarquer dans la figure ci-dessus, le raisin, lié à la grappe (qu'on appelle aussi rafle), est composé :

a) d'une mince surface extérieure, la peau ;
b) d'une partie interne (de loin la plus importante) qu'on appelle la pulpe, c'est-à-dire la « chair » du raisin ;
c) de noyaux, en proportion variable dans chaque raisin selon son cépage et sa grosseur.

Tous les éléments constitutifs du raisin sont d'une extrême importance dans la fabrication du vin, car le vin — en plus d'être caractérisé par le goût spécifique que lui donne le fruit — est composé précisément d'acides, de sucre et de tannin.

La pulpe du raisin

La pulpe, comme on l'a dit, est la partie essentielle du raisin. En fait, elle constitue plus de 95 % du fruit. C'est elle qui contient les acides, le sucre, les multiples sels minéraux et les autres composés organiques qui donnent au vin son goût et son arôme particuliers. Car chaque espèce de raisin a ses propres qualités gustatives, de sorte que certains cépages sont plus propices à la fabrication du vin que d'autres. Cela est si vrai qu'un moût[1] élaboré à partir d'un cépage chardonnay se vendra beaucoup plus cher que, par exemple, le moût d'un cépage thompson seedless. Dans bien des cas, il s'agit à la fois d'une question de goût et d'une question de production : souvent les raisins les plus prisés poussent en moins grand nombre sur les pieds de vigne, mais la concentration de leur jus est plus riche. Dans certains pays, on légifère même sur la quantité de raisin que le viticulteur est en droit de produire par vigne et par hectare s'il veut conserver le droit à une appellation.

Le raisin est
la matière première du vin.

Cela dit, la qualité des vins dépend pour beaucoup des quantités de pluie que les raisins ont reçues au cours de leur maturation : plus il a plu, plus le raisin risque d'être gorgé d'eau et donc de perdre un partie importante de son goût. Inversement, une sécheresse prolongée pourra provoquer la maturation trop rapide du raisin, entraînant par le fait même un déséquilibre tout aussi grave qu'un excès de pluie. On juge qu'un bon raisin doit con-

1. Nous utilisons le terme « moût » pour désigner le jus du raisin destiné à la vinification.

tenir 75 % d'eau et 20 % de sucre (les 5 % restants étant constitués de tous les autres produits organiques, les acides en particulier, qui participent à la constitution du raisin). Il y a donc des bonnes et des mauvaises années pour la fabrication des vins.

Les effets climatiques sont du reste si importants dans l'élaboration du vin que la plupart des éleveurs de grands crus produisent moins de vin quand l'année a été mauvaise. En agissant ainsi, ils préservent leur réputation de grands viticulteurs, car ne sont conservés, pour l'élaboration des grandes appellations, que les meilleurs raisins. Le reste de la récolte est « déclassé » et sert à des appellations inférieures.

Les noyaux et les tannins

Les noyaux contiennent une part importante de tannin, une substance amère qui se répand dans le vin au cours de la fermentation. Elle lui confère non seulement de l'astringence (qui provoque le resserrement des tissus de la bouche, de la langue, du palais et des gencives), mais aussi de la saveur. En outre, le tannin favorise la préservation du vin et aide à sa clarification après la fermentation. Les vins qui vieillissent le mieux sont toujours forts en tannin. Signalons enfin que les vins rouges contiennent dix fois plus de tannin que les vins blancs. On verra plus loin pourquoi.

La peau du raisin

Quant à la peau, son importance est loin d'être négligeable. Souvent, cette peau est recouverte d'une pellicule de poudre blanchâtre, qu'on appelle pruine. Cette poudre est constituée de bactéries qui participent, elles aussi, au goût du vin une fois qu'il est produit. La pruine contient en plus les levures propices à la fermentation. C'est du reste grâce à l'action de ces levures que le vin fermente. L'utilisation de levures sélectionnées en laboratoire pour activer et garantir la fermentation du vin est récente. Autrefois, c'étaient les levures de la pruine qui provoquaient la fermentation du vin. De nos jours cependant, on utilise de plus en plus des levures de culture pour éviter une fermentation lente ou ratée. On a sélectionné des levures spécifiques qui permettent une fermentation de très haute qualité. En fait, ces levures sont cultivées en laboratoire en grande quantité.

On l'ignore peut-être, mais la pulpe des raisins rouges est de la même couleur que celui des raisins verts, c'est-à-dire verdâtre. Il y a cependant quelques exceptions. Certains raisins ont une pulpe rouge ; on les appelle raisins teinturiers et ils ne servent qu'à la fabrication du vin rouge — alors que tous les autres raisins peuvent indifféremment être utilisés pour l'élaboration des vins blancs ou des vins rouges. Il est par contre nécessaire, lors de la fabrication du vin rouge, de conserver la peau du raisin rouge dans le moût de fermentation car c'est elle qui contient les pigments nécessaires à la coloration du vin.

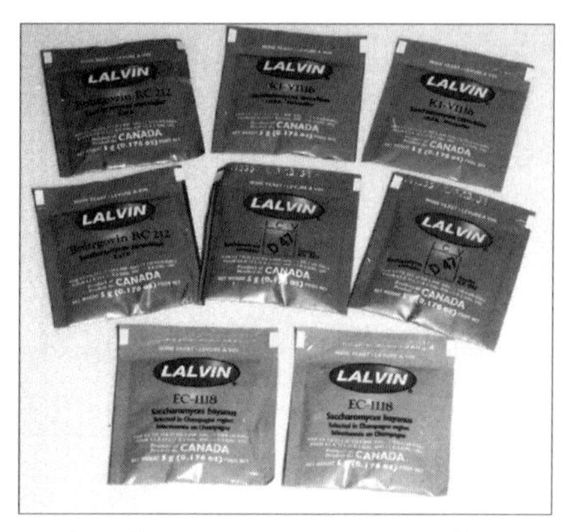

Les levures sont essentielles à la fermentation. De nos jours, les levures sont cultivées en laboratoire.

C'est du reste un des problèmes qu'il a fallu solutionner pour la mise en marché des moûts frais de vin rouge destinés à la vinification domestique. Il faut les pigmenter avant de les commercialiser (les moûts frais ne contiennent que du jus, et aucun résidu du fruit). Or, normalement, la pigmentation du vin rouge se fait au cours des premiers jours de la fermentation. Dans le but d'éviter la fermentation du moût (qui rendrait sa vente illégale dans le commerce) au cours du processus de pigmentation, il était fréquent autrefois de le chauffer comme cela se fait pour les concentrés stérilisés. On pratique de moins en moins cette technique. Dans le but de conserver au moût toute sa saveur, on procède plutôt par ajout de métabisulfite et simultanément par abaissement de température. Parfois, on ajoute du moût teinturier, si nécessaire.

Signalons à ce sujet que, depuis quelques années, la compagnie Mosti Mondiale, importateur, producteur et grossiste de moûts pour la fabrication de vins domestiques, offre aux vinificateurs amateurs la possibilité de pigmenter eux-mêmes leurs moûts. De fait, on importe, en saison, des moûts de la région de Sonoma, en Californie, qui sont livrés aux amateurs avec la peau des raisins. L'amateur doit donc alors procéder comme s'il avait acheté des raisins : il lui faudra rabaisser le « chapeau » (formé précisément des résidus des raisins) deux fois par jour pour ajouter au moût du tannin et de la coloration. Cette nouvelle forme de vinification, à mi-chemin entre la fabrication à partir des raisins pressés et la vinification de moût acheté chez le détaillant, connaît un très vif succès chez les amateurs avertis.

Une grappe de *Vitis vinifera*, telle que dessinée par le grand botaniste Linné.

Les cépages

Il existe d'innombrables espèces de raisins car les vignes se sont adaptées à presque tous les climats. Ainsi, quand les premiers explorateurs arrivèrent au Canada, ils furent surpris d'y découvrir des vignes ; cependant, elles étaient impropres à la vinification (leurs fruits ne produisaient que des vins très amers). En fait, sur les 5000 types vignes qui ont été répertoriées (la vigne existe depuis 40 millions d'années !), seules 250 environ sont propices à la vinification.

C'est du reste parce que les vignes d'Amérique étaient inaptes à la production de vin qu'on tenta de leur greffer des vignes nobles d'Europe pour améliorer la qualité et le goût du vin qu'on tirait de leurs fruits. Lors d'essais de greffe faits dans le Gard, en France, en 1864 s'était glissé, dans les vignes américaines importées en France, le phylloxéra, un puceron qui, une fois sur place, se révéla l'ennemi le plus terrible que les vignerons aient connu depuis la naissance de la viticulture. Ce puceron, qui se nourrit du suc cellulaire, en particulier celui des racines, se répandit comme la peste et tua littéralement en moins d'un demi-siècle à peu près toutes les vignes françaises en plus de se répandre en Europe, en Afrique du Nord et même en Australie et en Nouvelle-Zélande. Le tort qu'il causa à la viticulture fut sans précédent. Il ruina des milliers de viticulteurs. Rien que pour la France, on évalue à 1800 milliards de francs-or les pertes qu'il causa aux propriétaires de vignes : une somme absolument colossale. On comprend pourquoi, de nos jours, il est interdit de transporter des plantes et d'autres produits agricoles d'un pays à un autre.

Pour réussir à éradiquer le phylloxéra — et après des dizaines de tentatives infructueuses —, une ultime solution s'imposa : importer des vignes américaines (qui donnaient, comme on l'a dit, des vins exécrables) sur lesquelles on greffa des vignes françaises en espérant que les greffons garderaient intact le goût du raisin des vignes anciennes. Les résultats furent heureusement concluants. Il n'empêche qu'il fallut rebâtir une industrie française vieille de plus d'un millénaire !

Les cépages et les variations climatiques

Les cépages français sont les plus célèbres : à peu près tout le monde connaît le chardonnay, le merlot, le cabernet-sauvignon, le cabernet franc, le sauvignon blanc, le pinot noir, le chenin blanc, le gamay ; mais il y en a des dizaines d'autres dont certains produisent des vins exceptionnels : le riesling, le gewurztraminer, le mourvèdre, la syrah, le sylvaner, le tocai, ou d'autres encore qui sont des plus respectables comme l'asti, le carignan, le cinsault, le barbera, le muscat, le nebbiolo, le chasselas, etc. On trouvera du reste une liste détaillé des cépages les plus utilisés pour la fabrication de moûts et concentrés au chapitre 8.

Selon l'endroit où il sera transplanté, le cépage tirera du sol et du climat une personnalité spécifique. Par exemple, le goût du chardonnay n'est pas exactement le même selon qu'il croît en France, aux États-Unis ou en Australie. Pour un même cépage, un climat plus chaud donnera en général un vin plus corsé, et un climat froid un vin plus velouté.

Le chardonnay, le cépage le plus à la mode depuis quelques décennies.

En fait, un climat tempéré produit en général de meilleurs vins. C'est ce qui explique pourquoi les pays chauds (sud de l'Italie, Afrique du Nord, Grèce, etc.) ne sont pas réputés pour mettre sur le marché de très grands vins, alors que la France et l'Allemagne sont considérés comme les pays qui produisent les meilleurs vins du monde.

Depuis quelques décennies, la Californie a fait la preuve qu'elle pouvait produire des vins de très grande qualité. Elle a même battu la France sur son propre terrain lors de dégustations à l'aveugle (c'est-à-dire sans que les dégustateurs connaissent l'origine et le nom du vin qu'ils dégustent).

Cependant, la Californie ne produit pas partout sur son territoire des raisins de même valeur. Le Centre Davis de l'Université de la Californie, spécialisé dans la recherche sur les vins, a jugé nécessaire de diviser l'État de la Californie en différentes régions, chacune d'elles correspondant à un climat particulier déterminé à partir du nombre de jours d'ensoleillement qu'on y observe. Ainsi les régions I à III (ce sont en général des régions rafraîchies par les vents marins) ont des climats comparables à ceux de la France, de l'Allemagne ou du nord de l'Italie, alors que les régions IV et V ont des étés qui ressemblent à ceux de Naples ou d'Alger. Il va de soi qu'un vin produit dans les régions I à III, comme par exemple les vins de Sonoma ou ceux de Napa, sont visiblement supérieurs à ceux qu'on trouve à San Joaquin, dans une région très chaude classée V où on cultive beaucoup de raisin.

Est-il nécessaire de préciser que la qualité des moûts exportés de Californie dépend en grande partie de la région où les raisins ont été cueillis? En outre, même si les raisins viennent de régions réputées, il n'est pas dit (on l'imagine aisément) que ce sont les meilleurs raisins cueillis! En fait, pour dire les choses sans détour, si vous croyez pouvoir concurrencer les grands vins de Mondavi (le prix de certaines bouteilles avoisine 100$!), vous êtes vraiment dans l'erreur.

Le Fumé blanc de Robert Mondavi, produit par l'un des meilleurs viticulteurs de la Californie (région II, vallée de Napa).

À vrai dire, les importateurs de moûts ont le choix entre plusieurs régions et plusieurs qualités de raisins bien qu'ils aient rarement accès aux raisins qui font la réputation de tel ou tel terroir. Et s'ils l'avaient, le prix qu'ils devraient demander pour les moûts seraient si exorbitants qu'aucun acheteur ne voudrait se les procurer!

En général, les moûts et les raisins importés au Québec viennent principalement de Californie, mais on en importe aussi d'Italie, d'Australie, du Chili, d'Argentine, d'Espagne, de France, d'Afrique du Sud et d'Allemagne.

CHAPITRE 2

La fermentation

Une fois le raisin cueilli, il faut procéder à sa fermentation. Il s'agit d'une opération délicate qui doit se faire selon des normes strictes sans quoi le vin risque de s'oxyder et de tourner. On ne le dira jamais assez : la propreté y est d'absolue rigueur, car le vin est très sensible aux bactéries.

La fermentation est un phénomène que l'on connaît avec précision depuis près d'un siècle et demi grâce aux recherches de Pasteur. C'est ce dernier qui comprit que la fermentation du vin était causée par l'action des levures. C'était une découverte phénoménale : on pouvait enfin comprendre et maîtriser le processus chimique qui a lieu au cours de la fermentation du vin.

Les levures

Essentielles à la fabrication du vin, les levures sont des organismes vivants unicellulaires qui se reproduisent eux-mêmes spontanément. Pour les amateurs, la levure propice à la fermentation du vin appartient principalement à la famille des *Saccharomyces*. Les levures utilisées pour produire la bière et le pain sont issues de cette même famille.

S'il est vrai que les levures se retrouvent naturellement sur les raisins, il est faux de croire qu'elles y apparaissent spontanément. En vérité, ces micro-organismes sont portés par l'air ambiant. Ils viennent se déposer sur le raisin ou alors ils sont transportés par les insectes qui viennent butiner sur les vignes.

On ne peut pas créer artificiellement des levures. Par contre, il est tout à fait possible de les cultiver en laboratoire et de favoriser leur reproduction en très grande quantité.

On connaît plus de 2000 espèces de levures. Celles-ci sont classées en fonction de leur forme (ronde ou ovale) et de leurs propriétés spécifiques. Les levures du vin sont de formes ovales, rondes ou elliptiques.

Les levures destinées au vin se nourrissent de sucre (le saccharose). Une fois ingéré par les levures, ce sucre est alors transformé en alcool et en gaz carbonique. Cependant, dépendant des types de levures, cette transformation sera accompagnée de la production d'autres produits chimiques — des déchets en somme — qui ne sont pas toujours souhaitables pour la transformation du moût en vin. Certaines levures donnent un mauvais goût au vin. Voilà pourquoi il est important de n'utiliser que des levures à vin et d'éviter celles qui servent à fabriquer le pain, par exemple.

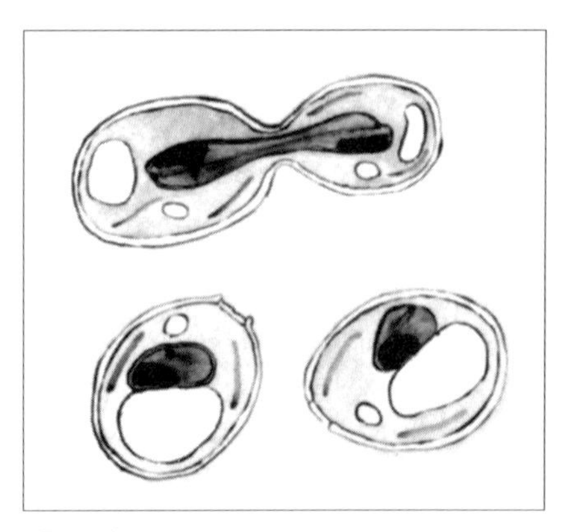

Des levures vues au microscope.

De plus, les acétobacters transportés par les mouches à fruits peuvent être responsables de la piqûre acétique qui donne au vin un goût de vinaigre. Le métabisulfite tue ces bactéries et relance les levures à vin : on pourra en savoir plus à ce sujet dans le prochain chapitre.

Quoi qu'il en soit, les progrès de la science ont permis de développer en laboratoire des levures sélectionnées en fonction du type de vin que l'on veut produire. Il ne faut pas se leurrer cependant : les propriétés des levures n'ont rien à voir avec les cépages. Elles sont utiles uniquement en fonction des buts visés par le producteur ou l'amateur. Il est des levures qui supportent mieux un haut taux d'alcool (beaucoup meurent ou cessent d'être actives au delà, par exemple, de 14 degrés d'alcool). D'autres ont des qualités différentes.

> *Par exemple, si vous envisagez de fabriquer un vin que vous voulez boire jeune, vous avez intérêt à prendre la levure 71B-1122 (*Saccharomyces cerevisiae*), car cette levure mettra rapidement en valeur les qualités intrinsèques de votre vin. D'autre part, si vous voulez fabriquer un pétillant, il est conseillé d'utiliser la levure EC-1118 (*Saccharomyces bayanus*) ; cette levure résiste à un haut taux d'alcool et se révèle plus propice à la fabrication des pétillants. Enfin, la levure K1-V1116 est très utilisée pour les vins rouges ; elle a pour qualité de s'approprier tout l'oxygène pendant sa phase de reproduction et ainsi d'asphyxier les levures indigènes.*

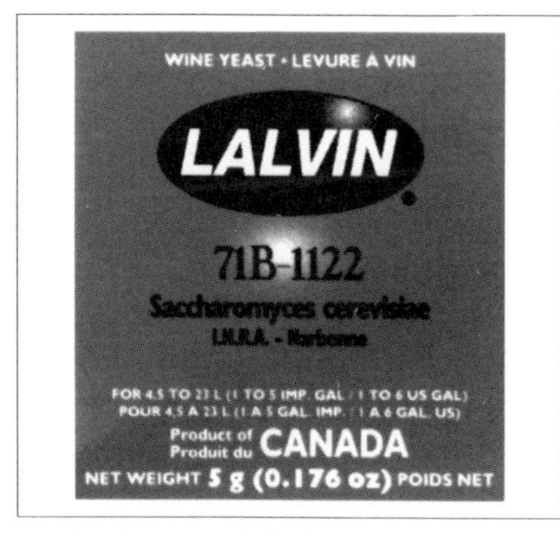

La levure 71B-1122 est très efficace pour les vins destinés à être bus jeunes.

L'industrie produit actuellement une quarantaine de levures destinées à la fabrication du vin et capables de répondre autant aux besoins de l'industrie qu'à ceux du vinificateur amateur. Signalons à ce sujet que c'est la compagnie Lallemand, dont le siège social est à Montréal, qui est le leader en ce domaine dans le monde !

On a aussi découvert en laboratoire que certaines levures s'adaptent mieux aux variations du taux d'alcool d'une génération à l'autre. La première génération, par exemple, vit fort à l'aise dans une densité de 1,070 [1] alors que la suivante

1. À ce sujet, voir le densimètre décrit au chapitre 4.

supporte mieux une densité de 1,050 et un taux d'alcool plus élevé, etc.

En général, l'arrêt de la fermentation est d'ailleurs causé par l'augmentation du taux d'alcool. C'est la raison pour laquelle on suggère de faire un premier soutirage lorsqu'on atteint une densité de 1,020. C'est là un moment critique : le gaz carbonique produit par les levures est emprisonné en partie dans le moût, inhibant du même coup leur activité ; d'autre part, des millions de levures sont mortes et se sont déposées au fond de la tourie. Ce premier soutirage permet non seulement un nettoyage des déchets accumulés, mais une oxygénation du moût et le dégagement d'un excédent de gaz carbonique, avec pour résultat que les levures, placées dans un environnement plus propice à leur développement, reprendront leur activité de production d'alcool jusqu'à la densité désirée.

Si par hasard, la fermentation ne reprend pas, il faut alors faire une amorce, c'est-à-dire cultiver des levures dans un nouveau milieu. Vous trouverez la recette au chapitre 6.

La nourriture à levures

Pour favoriser la réussite de la fermentation, il faut donner aux levures les éléments nécessaires à leur multiplication. Outre les glucides, qu'elles vont transformer au cours du processus de fermentation, les levures ont besoin de substances minérales et azotées assimilables par leur organisme. En fait, ces substances minérales sont leur nourriture et leurs vitamines de base. Parmi les éléments minéraux qui leur sont essentiels, nommons le potassium, le sodium, le calcium, le magnésium, le fer, le phosphore, le soufre et le silicium ; les levures ont aussi besoin, mais en quantité beaucoup moins importante, des oligo-éléments suivants : l'aluminium, le brome, le chrome, le cuivre, le plomb, le manganèse et le zinc, en plus des vitamines B, B1 et C.

Normalement, tous les minéraux et vitamines que nous venons d'énumérer se retrouvent en quantité suffisante dans

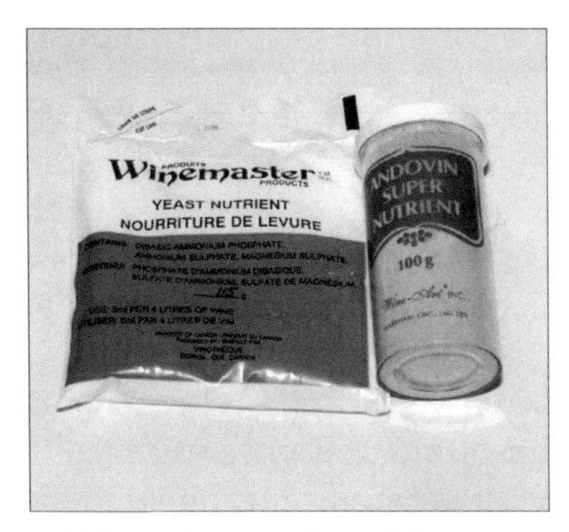

L'ajout de nourriture à levures est fortement recommandé quand on utilise des moûts concentrés et stérilisés.

les moûts frais réfrigérés. Cependant, on a constaté que si on ajoutait du phosphate, du potassium et du magnésium, on favorisait une fermentation plus rapide, plus active et plus réussie.

Par contre, dans le cas des concentrés ou des jus stérilisés, l'ajout de nourriture à levures est hautement recommandé compte tenu qu'une bonne partie des vitamines contenues dans le moût ont été anéanties.

Les progrès de la science

Depuis une cinquantaine d'années, la recherche en laboratoire a beaucoup apporté à l'œnologie. Ainsi, de nos jours, la fermentation n'est plus une opération miraculeuse. Elle est parfaitement maîtrisée et il est extrêmement rare qu'un viticulteur se bute à de graves problèmes de fermentation pour la bonne raison qu'on a tout mis en œuvre pour développer la culture de levures efficaces (et aussi contrôler l'ensemble des phénomènes qui concernent la fermentation) considérant qu'on ne pouvait laisser à la nature seule le soin de favoriser la fermentation du raisin. L'utilisation de la levure de culture sélectionnée est devenue un choix incontournable... sauf peut-être pour quelques rares entêtés qui s'en remettent totalement à dame Nature. Il vaut mieux faire confiance à la science, qui met à notre portée un produit naturel qui fonctionne à tout coup.

Les bactéries malo-lactiques

Le raisin est un organisme composé, on l'a dit, de plusieurs éléments (le sucre, les sels minéraux, les acides). Parmi ces éléments, la présence des bactéries est extrêmement importante dans la mesure où ces dernières sont essentielles au goût du vin et à sa transformation ; cependant, elles peuvent aussi concourir à sa détérioration. Certaines bactéries sont donc bonnes pour le vin, et d'autres sont tout à fait nocives.

Ainsi il y en a jouent un rôle très important dans la fermentation du vin. Tel est le cas des bactéries malo-lactiques, capables de changer l'acide malique (par nature au goût très acidulé) en acide lactique (plus doux) et en acide carbonique (volatil). Cette transformation, appelée fermentation malo-lactique, se produit après la fermentation alcoolique. Dans les pays chauds, elle s'active presque aussitôt après la fermentation alcoolique. Dans les pays plus froids (comme la France et l'Allemagne), elle démarre souvent six mois plus tard, les basses températures de l'hiver freinant le processus de fermentation malo-lactique.

Autrefois, la croyance populaire attribuait au vin des qualités semblables à celles des plantes : le vin avait une « poussée de sève » au printemps, poussée qui expliquait les transformations qu'on pouvait constater dans les fûts ou dans les cuves. En réalité, c'est l'élévation de la température ambiante qui provoque cette fermentation. L'arrivée du printemps, particulièrement dans les pays tempérés, active les bactéries malo-lactiques, lesquelles brouillent le vin et provoquent le phénomène que l'on a décrit.

Il est important de savoir que cette question de la fermentation malo-lactique ne concerne que ceux qui fabriquent du vin à partir de moûts non stérilisés (moûts de raisin frais vendus en contenants réfrigérés). Ceux qui achètent des moûts stérilisés et des moûts concentrés n'ont pas à s'en préoccuper puisque la fermentation malo-lactique ne peut se produire, toutes les bacté-

ries ayant été tuées durant la pasteurisation ou la concentration du moût. À noter aussi que certains moûts qualifiés de naturels sont en fait des moût reconstitués à partir de moûts concentrés[2]*; ces moûts ne sont forcément pas susceptibles de connaître une fermentation malo-lactique. Pour vous assurer de la nature exacte du moût que vous achetez, lisez attentivement l'étiquette ou informez-vous auprès de votre détaillant.*

La fermentation malo-lactique a pour effet de réduire l'acidité du vin. Elle est donc souhaitable dans le cas des vins rouges (naturellement acides et souvent tanniques) à qui elle donne de la souplesse et du moelleux, mais moins désirable dans le cas des vins blancs, qui se délestent de leur piquant et de leur vivacité naturels.

Cependant, les règles ne sont pas aussi simples : certains vins blancs, comme le chardonnay, tirent du bénéfice de la fermentation malo-lactique, alors que le riesling et le chenin blanc, par exemple, y perdent au change malgré que ces deux vins aient un taux d'acidité élevé.

La fermentation malo-lactique est donc un processus que les viticulteurs peuvent encourager ou freiner, en fonction des objectifs qu'ils visent, peu importe le taux d'acidité du vin.

Il est possible de la provoquer artificiellement en ajoutant des bactéries malo-lactiques immédiatement après la fermentation alcoolique, au moment où le taux de sucre a grandement diminué, moment le plus propice à la reproduction de ce type de bactéries. Il faut aussi hausser la température du vin pour qu'elle atteigne au moins 20 °C (68 °F), sans quoi la fermentation risque d'être freinée ou encore de reprendre à un moment ultérieur, particulièrement lorsque le vin est mis en bouteilles. Ce type de fermentation se déroule sur une période variant de 2 à 12 semaines.

L'inoculation de bactéries malo-lactiques peut s'avérer nécessaire dans le cas où on aurait utilisé en abondance le

2. Voir à ce sujet le chapitre 5.

métabisulfite après les vendanges, tuant du coup une grande partie de ces bactéries. Cette opération doit être menée avec soin dans des conditions qu'il serait trop long d'expliquer ici.

Il est possible de savoir si la fermentation malo-lactique s'est produite dans n'importe quel vin. Il suffit d'envoyer un échantillon en laboratoire pour qu'on y pratique une chromatographie grâce à laquelle on peut déterminer le taux d'acide lactique et d'acide malique dans le vin. Ces analyses sont faites dans le but d'éviter que les bactéries malo-lactiques ne s'attaquent ultérieurement aux acides tartriques, provoquant ainsi la tourne du vin ; quand cela se produit, le vin change de couleur, devient terne et prend un mauvais goût, et il faut alors le jeter. Les vinificateurs amateurs qui pressent eux-mêmes leurs raisins connaissent souvent ce phénomène et en subissent les dures conséquences.

La meilleure façon d'éviter des désagréments est de garder le vin à une température de 20 °C pendant une période de deux à trois mois. On peut le faire de deux façons : soit en chauffant la pièce à la température désirée, soit en utilisant des ceintures chauffantes autour les récipients (dans le cas où le vin est entreposé dans des sous-sols froids). Il est conseillé, une fois cette période terminée, d'ajouter un quart de cuillerée à thé (1,4 g) de métabisulfite de potassium dilué au préalable dans de l'eau tiède (ou trois comprimés Campden d'anhydride sulfureux élaborés à partir de métabisulfite de potassium) par 20 ou 23 litres de moût.

Signalons qu'on ne recommande pas la fermentation malo-lactique dans le cas des vins qui seront bus jeunes. La meilleure façon de freiner la fermentation malo-lactique est de sulfiter le vin après la fermentation. Il suffit d'ajouter un quart de cuillerée à thé (1,4 g) de métabisulfite de potassium dilué au préalable dans de l'eau (ou trois comprimés Campden) dans chaque tourie de 20 ou 23 litres pour que le problème soit réglé.

La fermentation du vin rouge

L'amateur doit savoir que les viticulteurs ne procèdent pas de la même manière pour la fermentation du vin rouge et du vin blanc.

Ainsi, dès que la récolte est acheminée vers les cuves de fermentation, le maître de chais ou l'œnologue procède à des analyses rapides pour vérifier la qualité des raisins et corriger la situation soit en éliminant les fruits jugés impropres à la fermentation soit en apportant des corrections chimiques et/ou physiques.

L'égrappage et le foulage industriels du raisin.

On procède ensuite au foulage du raisin, c'est-à-dire qu'on écrase le raisin, en évitant de broyer les noyaux qui laisseraient échapper trop de tannin et des huiles nuisibles au bon goût du vin.

Puis, les raisins rouges sont égrappés, c'est-à-dire détachés de la grappe. Si, autrefois, on conservait une partie de la rafle pour augmenter la teneur du vin en tannin, de nos jours on a tendance à l'éliminer complètement. On considère que le tannin contenu dans les noyaux est suffisant pour équilibrer le vin. On a aussi constaté que le tannin contenu dans la rafle avait un goût herbacé et désagréable.

Il existe dans l'industrie des fouloirs-égrappoirs qui font les deux opérations en même temps. On en profite aussi pour inoculer au moût des levures, dans le but de provoquer le plus rapidement possible la fermentation. On laisse ainsi reposer le raisin avec sa peau de manière à ce que cette dernière pigmente le moût et lui donne la couleur désirée.

Le moût ainsi obtenu est analysé. Pour éviter une oxydation et la prolifération de bactéries, il est aussitôt traité au

Des œnologues en discussion devant des réservoirs de 454 000 litres (100 000 gallons ou 600 000 bouteilles) !

métabisulfite dans des proportions admises en œnologie. La raison ? La fermentation est le meilleur moyen d'éviter l'oxydation. Le gaz carbonique qui est alors produit sert d'écran contre l'effet oxydant de l'oxygène. La fabrication industrielle exige d'immenses récipients. Les deux modèles les plus usuels sont les cuves en béton et les cuves en acier inoxydable. Certaines peuvent contenir jusqu'à 454 000 litres !

Les étapes de la fermentation

La fermentation dure environ 21 jours, mais après sept à dix jours on transvase le vin dans des cuves plus petites pour le vieillissement. Ici les méthodes varient selon la qualité du vin qu'on veut produire. Les vins de table et ceux délimités de qualité supérieure sont placés dans des cuves d'acier inoxydable plus petites que les cuves de fermentation et dans lesquelles

Des cuves de chêne de différentes dimensions.

(la mode le veut !) on ajoute souvent des copeaux de chêne pour créer l'illusion d'un vieillissement en fût de chêne. Quant aux vins d'appellation mineure, ils sont placés dans des cuves en chêne pouvant contenir parfois jusqu'à 10 000 litres ! Les appellations supérieures, elles, ont droit à des fûts de chêne de 225 litres, fûts qui sont du reste remplacés chaque année dans le cas des meilleurs crus pour permettre au vin de tirer du précieux bois toutes ses qualités.

En général, le vieillissement dans des cuves en chêne dure au moins une année. C'est pendant cette période qu'on fait à quelques reprises le ouillage, c'est-à-dire qu'on ajoute dans les cuves de chêne une quantité de vin égale à celle qui s'est évaporée par les pores du bois. Cette perte naturelle s'appelle, dans le jargon du métier, « la part des anges ».

Avant de mettre le vin en bouteilles, on procède à sa clarification et à sa stabilisation. Les méthodes de clarification ont beaucoup évolué. La méthode la plus ancienne est celle du collage. Connue depuis les Romains, elle consiste à introduire dans le vin des substances qui entraînent avec elles au fond du baril les particules qui brouillent le vin. Les « colles » — qu'on utilise encore de nos jours — sont toutes naturelles : elles sont à base de sang de bœuf défibriné, de caséine, de gélatine, de colle de poisson ou de blanc d'œuf. Il s'agit d'une opération délicate que plusieurs ont abandonnée au profit de méthodes plus expéditives, entre autres la clarification par la méthode de centrifugation. Cette opération se fait à l'aide d'un appareil qui ressemble à un extracteur à jus, mais en beaucoup plus imposant. Le moût est introduit dans un cylindre puis soumis à une force rotative (jusqu'à 10 000 tours/minute) qui fait en sorte que les particules sont projetées sur les parois — qui se nettoient d'elles-mêmes. Ainsi débarrassé de ses particules brouillantes et aussi de ses levures inutiles, le moût retrouve du coup sa limpidité. Ces appareils sont surtout utilisés pour nettoyer le vin après la fermentation. On évite ainsi la prolifération de bactéries nocives et, au cours de la filtration (qui a lieu beaucoup plus tard) les filtres sont moins obstrués.

De beaux raisins mûris à point !

Depuis quelques décennies, on utilise aussi de plus en plus la méthode de filtration par plaques de papier ou par cartouches (voir à ce sujet le chapitre 4). Cette méthode consiste à faire passer le vin dans des filtres qui retiennent les particules en suspension donnant ainsi au vin toute sa limpidité sans pour autant lui faire perdre ses qualités.

Quand toutes ces opérations ont été complétées, on procède, le cas échéant, à l'assemblage des vins, c'est-à-dire au mariage des différents cépages dont dispose le viticulteur, puis à l'embouteillage et à la mise en marché.

À ce stade, le travail du viticulteur est terminé. C'est à l'amateur de goûter !

La fermentation du vin blanc

Dans le cas du vin blanc, les techniques de fermentation sont identiques à cette particularité près que le foulage et le pressurage sont réalisés l'un à la suite de l'autre, de manière que la rafle, les pépins et la pellicule du raisin soient séparés le plus rapidement possible du moût. La raison est simple : le vin n'a pas à être pigmenté. On n'a donc pas besoin de conserver la peau du raisin ; on s'en débarrasse d'autant plus vite que cette dernière, détachée de la pulpe, a tendance à s'oxyder rapidement et à donner au moût une couleur brune qui se répercute forcément sur la couleur finale du vin.

Le pressage industriel du raisin.

Cependant, pour augmenter la saveur des vins blancs, on procède à une fermentation à froid, c'est-à-dire qu'on abaisse la température du moût parfois jusqu'à 8 °C (46 °F) pour en ralentir la fermentation. Cette technique, pratiquée dans les pays aux climats chauds (régions chaudes de la Californie, Australie, Italie), donne plus de saveur au vin (goût fruité, goût de poire) en prolongeant la transformation du sucre en alcool et en activant les effets que celle-ci entraîne sur la constitution du moût. Les méthodes varient grandement. La plus usuelle consiste à placer le moût dans d'énormes cuves en acier inoxydable dont les parois doubles contiennent du glycol ou de l'ammoniaque qui servent d'agents de réfrigération. Dans certains cas, on fait tout simplement couler de l'eau froide sur les parois. En Californie, la fermentation à froid se fait à une température variant entre 12 °C (54 °F) et 14 °C (57 °F).

Des barils de chêne agrémentés de sculptures.

La macération carbonique

Depuis quelques années, on pratique la macération carbonique, une méthode d'abord utilisée dans le Beaujolais pour le vin rouge et qui consiste à laisser les raisins non foulés dans une cuve fermée. Le poids des raisins provoque une accumulation de jus à la base de la cuve, jus qui génère du gaz carbonique provoqué par la fermentation alcoolique. Au cours de cette opération, une partie du sucre se transforme en alcool sans le support des levures. Pour s'assurer que la cuve est bien saturée de gaz carbonique, on en ajoute artificiellement et on laisse ainsi macérer le moût pendant sept à vingt et un jours. La pulpe des raisins, sous l'action du gaz qui a pénétré la pulpe, prend un goût bouqueté et perd de son excès d'acidité, grâce à la transformation de l'acide malique, permettant au vin d'être consommé plus rapidement tout en ayant un goût plus prononcé.

Une fois le moût ainsi macéré, on procède par la suite à la fermentation normale. Ces deux techniques, celle de la fermentation à froid et celle de la macération carbonique, ont connu un très grand succès. Des appellations bordeaux simples (Sirius, No 1, Michel Lynch) ont ainsi acquis un goût des plus plaisants grâce à la fermentation carbonique [3]. La vente de ces vins au Québec a connu une augmentation appréciable. Il faut savoir cependant que ces vins sont destinés à une consommation rapide, étant donné que le bouquet généré par ce genre de fermentation est plutôt volatil et appelé à s'amenuiser avec le temps. À vrai dire, il n'en reste guère de trace après deux ans en bouteilles !

Pour ce qui est des procédés de vieillissement et d'embouteillage, les vins blancs sont soumis aux mêmes règles que celles des vins rouges [4].

3. Cette fermentation est aussi appelée fermentation intracellulaire.
4. Pour plus de détails sur ce sujet, voir *L'embouteillage et la dégustation* dans la collection « L'encyclopédie du vin maison ».

CHAPITRE 3

Questions d'écologie et de biochimie

Pour beaucoup d'amateurs, faire son propre vin est non seulement une question d'économie, mais aussi une question d'écologie. Ces gens sont persuadés que les vins vendus dans le commerce ne sont pas très naturels. Ils ont un peu raison. Particulièrement en ce qui concerne les vins les moins chers. Comme ces derniers ont été produits en très grande quantité, les viticulteurs, éleveurs et négociants n'ont, en général, pas lésiné sur les aseptisants et autres produits chimiques pour éviter de possibles contaminations qui risqueraient de ruiner leur production.

Lorsqu'on fabrique son propre vin, on a la pleine maîtrise de son produit. Du moins, est-ce le cas à partir du moment où on s'est procuré les ingrédients de base, car il ne faut pas se faire d'illusions : tous les moûts ou concentrés vendus en magasin ont été traités avec des produits chimiques avant d'être mis sur le marché.

Les préoccupations écologiques comportent par contre leurs désavantages: beaucoup d'amateurs courent parfois le risque de perdre la totalité de leur vin. Par exemple, certains refusent d'utiliser des levures, croyant à tort que le moût fermentera de lui-même, alors qu'il est scientifiquement prouvé que le jus que l'on extrait des raisins ne contient pas de levures. Cela est encore plus vrai pour les concentrés : stérilisés, ils ne renferment forcément aucune levure ou bactérie.

En outre, ces écologistes inconditionnels refusent tout ajout de métabisulfite de potassium, considérant qu'il s'agit là d'un produit à proscrire.

Dans les deux cas, ils ont tort. Ne pas utiliser de levures est une absurdité. Ceux qui persistent à ne pas le faire, riant dans leur barbe devant l'air ahuri de ceux qui n'en croient pas leurs yeux de voir fermenter le moût auquel ils n'ont rien ajouté, ne savent pas que des levures en suspension dans l'air de leur sous-sol — levures qui se sont déposées sur leurs appareils et instruments — sont la cause du miracle en question. Or, ces levures sont si peu nombreuses (et souvent même inappropriées) que la magie risque de ne pas se produire tous les ans, entraînant du coup la perte du moût.

Le même type de remarque vaut pour le métabisulfite. On peut décider de ne pas l'utiliser. Cela équivaut à ne pas stériliser ses confitures de fraises en les faisant bouillir, puis de remplir les pots sans faire le vide. Tentez l'expérience. Les risques qu'apparaissent, à la surface de vos confitures, les marques de pourriture sous forme de petits îlots blancs sont presque assurés. Il vous faudra alors les jeter aux poubelles…

Les techniques de préservation

Depuis la nuit des temps, on a cherché à préserver les aliments soit en les «protégeant», soit en les aseptisant (c'est Pasteur qui a mis cette technique à la mode). Ainsi, il est d'usage depuis longtemps de faire bouillir les aliments pour les stériliser. Mais on peut aussi les fumer: les Indiens pratiquaient cette technique bien avant l'arrivée des Blancs. De même, il est possible de placer les aliments dans de la saumure: nos ancêtres conservaient beaucoup de produits, y compris la viande, dans un mélange de sel et d'eau. Lorsqu'ils voulaient consommer les produits en question, ils leur faisaient «dégorger» leur sel. On peut aussi placer les aliments dans d'autres liquides qui agissent comme protecteurs et aseptisants. C'est le cas, par exemple, des marinades, plongées dans le vinaigre, ou encore des légumes, qu'on fait baigner dans l'huile (c'est délicieux, mais pas très recommandé pour le cholestérol !).

En fait, il y a mille manières de conserver les aliments, depuis l'emballage sous vide jusqu'à la congélation. Dans tous les cas, l'idée est toujours la même : éviter que ceux-ci entrent en contact direct avec l'air, pour la bonne raison que l'air est porteur de bactéries et de microbes. Laissé à l'air libre, l'aliment risque d'être infecté et de se détériorer en peu de temps. Pour en vérifier les effets déplaisants, vous n'avez qu'à laisser votre bifteck sur le comptoir de la cuisine pendant deux semaines : vous pourrez à la fois voir et humer le résultat !

Étrangement, plusieurs amateurs ne veulent pas admettre que le vin est un aliment et que, à ce titre, il contient une multitude de bactéries. Si on les laisse proliférer, elles amènent le même résultat que dans le cas du bifteck oublié sur le comptoir : après un certain temps, le vin se détériore en se changeant — c'est moins dégoûtant, mais tout aussi détestable — en vinaigre de vin, ou prend une coloration ou un goût douteux.

Dans le cas des moûts stérilisés, le processus de contamination débutera dès l'instant où le moût sera à nouveau exposé à l'air libre et mis à fermenter. Il sera pour ainsi dire « réanimé » et alors les organismes vivants se remettront à pulluler dans le moût.

Ainsi donc, si vous laissez la voie libre aux bactéries nocives du vin, vous jouez avec le feu. Si au contraire, vous êtes prudent et prenez toutes les précautions qui s'imposent, vos chances de réussite seront presque assurées.

Pourtant, les amateurs (même expérimentés) sont parfois vraiment négligents. Ils ne lavent ni n'aseptisent les instruments qui seront en contact avec le vin. Cela équivaut à inoculer au vin des bactéries indésirables. Il est donc impérieux de laver ses cuves primaires à fond, d'aseptiser les touries avec un détergent approprié et de garder ses bondes toujours propres et remplies à leur niveau recommandé. Ce sont des gestes qui s'imposent si l'on veut fabriquer un vin de qualité. On doit aussi laver en profondeur l'intérieur des bouteilles (petit conseil : n'utilisez pas le lave-vaisselle, car les jets d'eau n'atteignent à peu près jamais le fond de la bouteille).

Ceux qui ne pratiquent pas ces règles incontournables doivent savoir qu'ils boivent ce qu'ils ont mis et laissé croître dans leur vin. Le goût sera peut-être fort convenable, mais il n'est pas dit que le vin, lui, sera bon pour la santé.

Le vin et les interventions chimiques

Ce préambule laisse clairement entendre que le vin doit subir certains traitements chimiques si on veut éviter des pertes irréparables. On a dit antérieurement que les Grecs anciens connaissaient l'usage du soufre pour éviter l'oxydation du vin. D'autres produits peuvent aussi être utilisés. Dans cette partie de chapitre, nous nous en tiendrons à des commentaires généraux qui vous permettront de vous familiariser avec ces produits.

Le soufre (l'anhydride sulfureux)

L'anhydride sulfureux (SO_2) se présente sous plusieurs dérivés (dont on parlera plus en détail plus loin). Ce produit chimique entre en action lorsque le soufre (S) brûle au contact de l'oxygène (O). L'anhydride sulfureux est un composé du soufre, un élément naturel qui constitue 0,5 % du poids total de la Terre. Le soufre, soit dit en passant, sert à tellement d'usages que sa consommation est un indicateur de la santé économique d'un pays.

Ce gaz piquant a ceci de particulier qu'il protège le vin contre son ennemi le plus insidieux : l'oxydation. En outre, le soufre, combiné à l'eau (H_2O) contenue dans le moût ou dans le vin, produit un antiseptique dont on peut apprécier les qualités depuis fort longtemps. En fait, le soufre est si efficace qu'on n'a pas trouvé de produit équivalent malgré des recherches intensives au cours de plusieurs décennies. La primaricine, la vitamine K_2, l'acide sorbique et l'acide ascorbique n'ont pas encore fait la preuve de leur supériorité sur le soufre !

Le soufre possède plusieurs propriétés appréciées : il est antifongique (il tue les mauvais champignons du vin) ; il est antibactérien (il tue ou inhibe les bactéries, y compris celles de la pourriture grise qui apparaît au moment des vendanges) ; il est antioxydant (il empêche l'oxydation, qui cause la casse brune du vin) ; il est antidiastasique (il freine la prolifération des enzymes).

Ainsi, non seulement le soufre a-t-il toutes ces qualités, mais il favorise en plus le processus de fermentation en augmentant le taux d'alcool et d'acidité dans le moût, et il accentue la saveur et la couleur du vin.

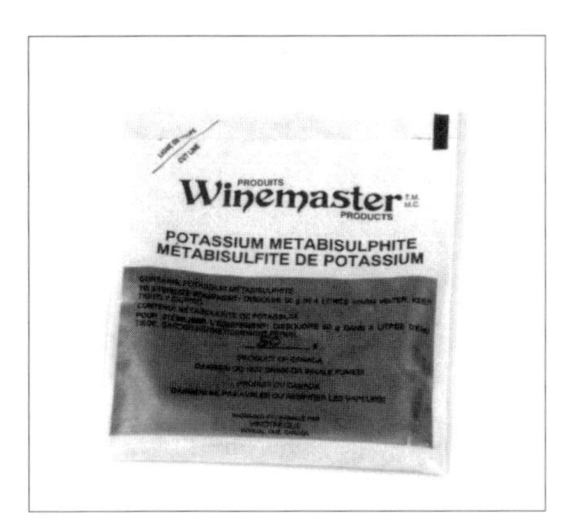

Le métabisulfite de potassium : un produit miracle !

Que demander de plus d'un produit aussi simple et si peu coûteux et qui, utilisé avec intelligence et modération, n'est pas nocif pour la santé ?

On comprend aisément que l'anhydride sulfureux soit un des éléments chimiques les plus prisés par les viticulteurs. C'est quasi un produit miracle. À vrai dire, 99 % des fabricants de vin s'en servent constamment sous forme de gaz comprimé dans des bonbonnes (pour une utilisation en grande quantité), sous forme de mèches (par exemple pour aseptiser les fûts en chêne), sous forme de liquide, c'est-à-dire en solution aqueuse, et finalement sous forme de sel.

Le métabisulfite de potassium et autres sels

Les vinificateurs amateurs, en général, utilisent un des produits suivants (sous forme de sels ou de comprimés) : le métabisulfite de sodium, le sulfite neutre de potassium, le bisulfite acide de potassium et le métabisulfite de potassium. Dans les faits, on utilise presque systématiquement le métabisulfite de potassium à cause de sa teneur élevée en anhydride sulfureux (57 %) et aussi parce qu'il est beaucoup plus facile à conserver que le métabisulfite de sodium qui, trop exposé à l'air, donne parfois au vin un goût de lessive.

Il faut savoir aussi que le métabisulfite de sodium — contrairement au métabisulfite de potassium — est nocif pour les diabétiques. Voilà pourquoi, de nos jours, il est déconseillé.

En ce qui concerne les comprimés Campden, vous ne devez utiliser que les comprimés de métabisulfite de potassium (trois comprimés pour 20 ou 23 litres de moût) ; heureusement, on a retiré du marché les comprimés Campden au sodium.

Il ne faut pas oublier de remplir la bonde d'une solution de métabisulfite !

Le métabisulfite de potassium en sel est très simple à utiliser. Un quart de cuillerée à thé (1,4 g) sera suffisant pour 20 ou 30 litres de moût.

Pour bien doser le produit, vous avez intérêt à utiliser des cuillères graduées. Pour votre information, une cuillerée à thé équivaut à 5,5 g ; un quart de cuillerée à thé (1,4 g) équivaut donc à 1,4 g, c'est-à-dire une quantité vraiment minime. Cette quantité produira 31 parties d'anhydride sulfureux par million (ppm), ce qui est nettement au-dessous de la moyenne admise, laquelle peut atteindre, selon les normes internationales actuellement en vigueur, 300 ppm.

On conseille de diluer dans un peu d'eau le métabisulfite destiné à la tourie, et cela pour deux bonnes raisons : d'abord pour favoriser une dissolution plus réussie, plus rapide et plus efficace dans la tourie, ensuite pour éviter, dans le cas surtout où la fermentation se poursuit, que le métabisulfite soit absorbé par les enzymes avant d'avoir pu se diffuser dans l'ensemble du liquide.

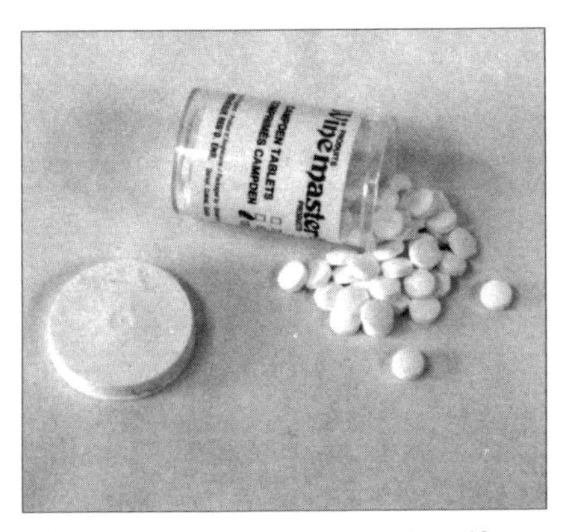

Des comprimés de métabisulfite.

Pour fabriquer du métabisulfite de potassium à des fins aseptisantes (pour aseptiser les instruments qu'on utilise régulièrement ou pour aseptiser les touries et autres récipients), la recette est simple : on dissout trois cuillerées à table (3 X 16,5 g = 49,5 g) de métabisulfite de potassium dans un gallon (ou quatre litres) d'eau. À noter que cette solution standard ainsi constituée doit être renouvelée tous les trois mois, car son action antiseptique diminue avec le temps. Il vaut mieux aussi utiliser des récipients en verre pour la conserver étant donné que le plastique laisse passer l'air à la longue. La meilleure façon de procéder est d'indiquer la date de fabrication sur votre

Du métabisulfite en solution standard de quatre litres.

récipient. Des contenants munis d'un vaporisateur vous permettront aussi de nettoyer cuillères, tubes et autres petits objets. C'est pratique et efficace.

Il se peut que vous soyez allergique à ce produit : le métabisulfite peut engendrer des rougeurs sur la peau ou provoquer des suffocations lorsqu'inhalé en trop grande quantité. Dans les deux cas, il faut être prudent : ceux qui ont la peau sensible doivent porter des gants ; ceux qui ont des problèmes respiratoires ne doivent utiliser le métabisulfite de potassium que dans un endroit parfaitement aéré.

Le vaporisateur est très utile pour aseptiser les instruments.

Il existe des substituts au métabisulfite pour ceux qui y sont vraiment trop allergiques. La compagnie Wine Art vend un produit appelé Sterilclean. Il est présenté sous forme liquide dans une petite bouteille, et on le dissout dans quatre litres d'eau. C'est un composé quaternaire, c'est-à-dire un produit basique plutôt qu'acide (moins nocif pour la peau et plus facile à respirer). Le Sterilclean est très efficace. Il faut cependant rincer abondamment les instruments aseptisés avant de les utiliser étant donné que ce produit est plus difficile à déloger des parois sur lesquelles il s'est déposé que le métabisulfite.

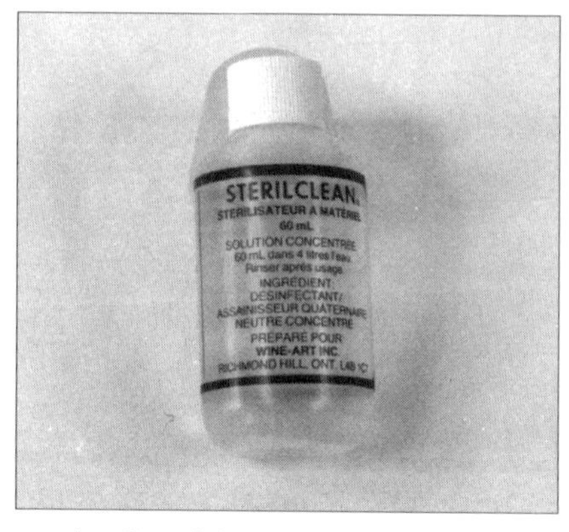

Le Sterilclean, un aseptisant qui peut remplacer le métabisulfite de potassium.

Il existe aussi un autre produit aseptisant vendu sous

le nom de Aseptox. Ce nouveau produit est distribué sous licence par la maison Distrivin à travers le Canada. Il a les mêmes propriétés que le Sterilclean, à cette différence près qu'il n'est pas nécessaire de rincer abondamment ensuite les instruments aseptisés.

Les substituts en question ne visent que l'aseptisation des instruments et non le moût lui-même. Le vinificateur qui souffre d'allergie devra utiliser des comprimés d'anhydride sulfureux élaborés à partir de métabisulfite de potassium pour aseptiser les moûts (comprimés Campden).

L'Aseptox est un nouveau produit sur le marché.

Qu'on soit allergique ou non au métabisulfite, il est recommandé de l'utiliser avec modération. L'abus de l'anhydride sulfureux est du reste facilement perceptible. Son arôme (la senteur de soufre, celle qu'on sent lorsqu'on fait craquer une allumette) est désagréable. Dissous dans de l'eau, il suffit de 11 mg de produit par litre d'eau pour qu'on perçoive sa senteur. Cependant, les acides contenus dans le vin inhibent la senteur du soufre et font grimper à 35 mg par litre la dose acceptable pour qu'on ne soit pas incommodé.

La plupart des pays producteurs de vin ont imposé des normes pour éviter les excès et protéger les consommateurs. Ces législations sont aujourd'hui très sévères. Ainsi, au début du siècle, la quantité permise était fixée à 500 parties par million (500 ppm) ; depuis le début des années quatre-vingt-dix, elle a été réduite, dépendant des pays, à 250/300 ppm, sauf pour les vins liquoreux qui peuvent contenir plus de

500 ppm (à cause de la grande quantité de sucre contenue dans ces vins dont on doit freiner la refermentation en bouteilles). Ces nouvelles exigences sont le résultat d'un lobbying très puissant aux États-Unis, car plusieurs considèrent que l'excès d'anhydride sulfureux est dangereux pour la santé, particulièrement pour les asthmatiques. Ces lobbyistes ont du reste réussi à faire établir des normes encore plus sévères aux États-Unis: 160 ppm pour le vin rouge; 210 pour le vin blanc (plus sensible à l'oxydation et à la casse oxydasique); et 400 pour les vins liquoreux.

Il faut applaudir à ces législations. Par exemple, beaucoup ont noté qu'ils étaient plus sujets à éprouver des maux de tête après avoir bu une certaine quantité de vin au Canada que lorsqu'ils buvaient la même quantité en Europe. Cette situation était due au fait que les vins importés au Canada contenaient beaucoup plus d'anhydride sulfureux que les vins d'Europe. Ces derniers n'ont pas à «voyager» autant avant de se retrouver sur la table du consommateur. Ils sont donc embouteillés avec moins d'anhydride sulfureux.

Ce phénomène du mal de tête, plusieurs l'ont peut-être aussi éprouvé après avoir mangé des mets chinois ou s'être approvisionnés dans un comptoir à salades. Dans les deux cas, les mets avaient sans doute été traités au métabisulfite, précisément pour les préserver de l'oxydation. À titre d'exemple, une tranche de pomme aspergée de métabisulfite prendra plusieurs heures avant de brunir alors que celle qui ne l'est pas brunira en moins d'une heure.

L'anhydride sulfureux, heureusement, est un gaz qui possède deux qualités appréciables: il est volatil et se combine facilement aux autres éléments chimiques ambiants. Très efficace au moment où on manipule le moût (qui est alors exposé à l'air ambiant), il s'évapore rapidement. Il se transforme spontanément en SO_3 et en SO_4 pour former des sels qui n'affectent aucunement le goût du vin et n'ont aucun autre effet nocif sur le consommateur, particulièrement si on n'a pas exagéré les doses.

Autre phénomène intéressant en ce qui concerne l'anhydride sulfureux : à mesure que la partie volatile (qualifiée de « libre » en chimie) s'évapore, la partie qui s'est combinée (pour former du SO_3 et du SO_4) libère progressivement de l'anhydride sulfureux jusqu'à ce qu'un certain équilibre soit atteint entre l'anhydride sulfureux libre et l'anhydride sulfureux combiné. Ainsi, tout se passe comme si l'anhydride sulfureux était mis en réserve pour le futur, lui permettant de prolonger ses effets bénéfiques sur le moût ou le vin.

Cela dit, le métabisulfite ne disparaît jamais totalement du moût. Il est donc fortement conseillé de ne pas en abuser pour ne pas outrepasser la norme admise, d'autant plus que la proportion d'anhydride sulfureux libre augmente de façon notable au moment d'un ajout subséquent, passant de 55 % à 66 %.

Il est donc suggéré de sulfiter le moût à trois reprises (y inclus au moment de l'embouteillage) à raison d'un quart de cuillerée à thé (1,4 g), ou trois comprimés Campden, par opération si on ne veut pas dépasser les normes. Dans le cas des moûts réfrigérés de vin rouge, on suggère le même nombre d'ajouts de métabisulfite ; cependant, ces ajouts seront faits à des moments différents puisqu'il faut favoriser la fermentation malo-lactique[1].

Ainsi, si on ajoute à trois reprises la quantité recommandée de métabisulfite, cela équivaudra à plus ou moins 150 ppm de sulfite total ce qui est de beaucoup inférieur à la norme admise (250-300 ppm) un peu partout dans le monde.

Vous pouvez donc, en toute quiétude, procéder à l'ajout de métabisulfite dans les proportions suggérées. De cette façon, votre vin sera à la fois préservé des contaminations et sain. Par ailleurs, si vous refusez de le faire, particulièrement lors du dernier soutirage et de l'embouteillage, vous prenez des risques inutiles.

1. Voir le chapitre 2 et le chapitre 6.

Ceux qui produisent du vin en grande quantité peuvent utiliser avec profit des comprimés Tannisol. Il s'agit de gros comprimés (d'un diamètre d'environ 2,5 cm et pesant près de 10 g), constitués de 95 % de métabisulfite et auxquels on a ajouté de l'acide ascorbique (vitamine C) dans un proportion de 3 % et du tannin dans une proportion de 2 %. Un comprimé dissous dans 100 litres de moût libère environ 30 ppm de SO_2 libre. On peut, si on le désire, utiliser le Tannisol dans des touries de 20 ou de 23 litres. Il suffit de séparer le comprimé en quatre parties égales. Un quart de comprimé Tannisol ainsi dissous libère la même quantité de SO_2 libre (c'est-à-dire 30 ppm) qu'un quart de cuillerée à thé (1,4 g) de métabisulfite de potassium.

Le Tannisol : pour ceux qui produisent du vin en grande quantité.

Si vous utilisez des concentrés, des semi-concentrés ou des moût stérilisés, vous n'avez pas à vous préoccuper de cette question puisque le métabisulfite est contenu dans les sachets fournis par le producteur.

C'est dans les bouteilles, surtout si on boit le vin jeune, qu'on risque le plus de retrouver une trop forte quantité de soufre. Il faut donc éviter les excès de produits aseptisants au moment de l'embouteillage. La meilleure façon de procéder est de sulfiter la bouteille soit en l'emplissant de métabisulfite liquide puis en la vidant, soit en la passant au sulfiteur [2]. Dans les deux cas, il faut déposer et laisser reposer les bouteilles le

2. Voir le chapitre 4.

goulot dirigé vers le bas pour évacuer le maximum de métabisulfite.

Pour en savoir plus, nous vous conseillons de consulter le tome intitulé *Embouteillage et dégustation* de *L'encyclopédie du vin maison*.

Signalons, en terminant, qu'on peut se procurer une trousse pour mesurer le métabisulfite contenu dans le vin. Cet appareil coûte une vingtaine de dollars. On trouvera le mode d'emploi au chapitre 7.

Les détergents

On ne le dira jamais assez: la réussite de la vinification dépend en grande partie de la propreté de vos instruments. De ce point de vue, il faut être d'une extrême prudence. À chaque nouvelle manipulation, il faut asperger les instruments à utiliser avec du métabisulfite afin d'éviter les contaminations. Il faut aussi nettoyer avec beaucoup de soin tous les contenants dans lesquels seront déposés le moût ou le vin: les touries, les dames-jeannes, les cuves primaires, les bouteilles, etc. Il faut savoir à ce sujet que les récipients de plastique sont plus facilement porteurs de bactéries que les récipients de verre. En effet, le plastique est infiniment moins résistant que le verre: chaque égratignure sur la paroi interne d'un contenant peut servir de «nid» aux bactéries. On recommande donc de changer les cuves primaires tous les trois ans pour éviter des pertes irréparables. On suggère aussi un grand nettoyage annuel de la pièce où se

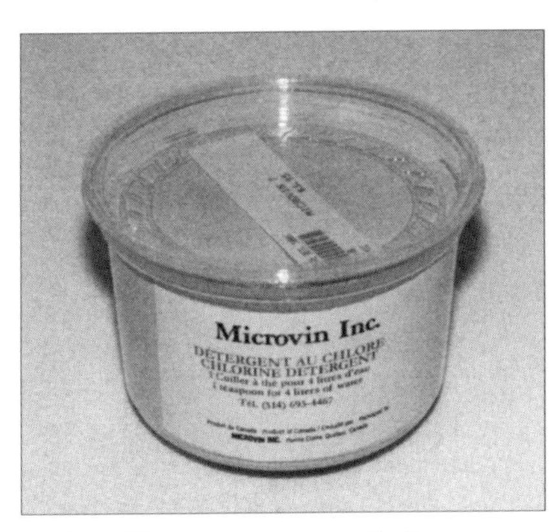

Le détergent est utilisé pour aseptiser cuves, touries et autres instruments.

fabrique le vin (ce nettoyage doit être fait avec des produits aseptisants comme l'eau de Javel ou le Lysol). Les bactéries (les levures aussi, du reste) voyagent vite et se déposent partout.

Par ailleurs, votre détaillant dispose de détergents (en général à base de chlore, souvent sous forme de poudre rose) qui ont pour fonction de nettoyer à fond les récipients en décollant tous les dépôts qui pourraient s'y loger, et de les aseptiser. Il y a plusieurs produits sur le marché, et ils sont pour la plupart efficaces. Ces détergents contiennent plus de chlore que les détergents habituels. En revanche, ils sont faibles en potasse pour permettre un rinçage plus rapide.

Dans tous les cas, il est suggéré de passer les instruments ou les récipients à l'eau purifiée pour faire disparaître les produits aseptisants. Ce conseil est impérieux en ce qui concerne les touries et les bouteilles lavées avec un détergent aseptisant. Si on ne les rince pas suffisamment, les risques que le vin prenne un goût de lessive sont grands.

L'aseptisant Bio-San.

Les antioxydants

On l'a dit à de multiples reprises : l'oxygène est le pire ennemi du moût. Laissé au contact de l'air, le moût s'oxydera assez rapidement et le futur vin deviendra du vinaigre !

Il existe des antioxydants capables de freiner l'action nocive de l'oxydation : la vitamine C (acide ascorbique) et l'érythorbate de sodium.

Ces deux produits agissent en synergie avec le métabisulfite. Ils additionnent donc leurs effets pour produire un très haut taux d'antioxydation. On les utilise cependant en très faible quantité.

Par exemple, 14 g d'érythorbate de sodium sont suffisants pour protéger 450 litres de vin !

Quant à la vitamine C (acide ascorbique), elle est utilisée à la fois comme antioxydant et pour bonifier le vin. En fait, un quart de cuillerée à thé (1,4 g) dissous dans une tourie avant l'embouteillage donnera fraîcheur, couleur et arôme au vin. Soulignons en terminant que ces deux produits ne sont pas des antiseptiques et qu'ils ne peuvent en aucun cas remplacer le métabisulfite.

Quoi qu'il en soit, si jamais vous êtes aux prises avec un problème d'oxydation, consultez votre détaillant.

L'oxydo-réduction

Aussi bizarre que cela puisse paraître, l'oxygène, l'« ennemi du vin », constitue un élément essentiel à la maturation du vin. Le phénomène d'oxydo-réduction dans l'évolution du vin est considéré, de nos jours, comme un mécanisme biochimique essentiel à son bon goût.

Expliquons-nous : même si le moût ne doit jamais être laissé à l'air libre, il entre cependant en contact avec l'air à deux, trois, quatre et parfois à cinq reprises au cours de la vinification — par exemple, lors de la première fermentation ou lors de la mise en cuve secondaire, lors des soutirages subséquents et enfin au moment de sa mise en bouteilles. Le moût a donc été « oxydé » plusieurs fois, mais dans des proportions minimes cependant.

Il faut éviter que le moût soit laissé à l'air libre.

Le phénomène d'oxydo-réduction concerne précisément les conséquences de la mise en contact du moût avec l'oxygène.

On peut le décrire de la façon suivante : le peu d'oxygène qui reste emprisonné dans la tourie ou les bouteilles (une fois celles-ci refermées) entre en réaction chimique avec le moût. Cette réaction est spontanée, mais lente. Les électrons libérés par l'oxygène sont aussitôt captés par le moût et « réduits » (ou absorbés) lentement par ce dernier, jusqu'à ce qu'un nouvel équilibre du vin soit atteint. Le produit oxydant, c'est-à-dire l'air, est combattu (réduit) par un produit réducteur, en l'occurrence le moût. Il s'agit en somme d'un mécanisme de défense. Or, ce processus d'oxydo-réduction est nécessaire à la maturation du vin, car ce nouvel apport modifie de façon substantielle l'équilibre du vin.

Il est recommandé d'attendre un certain temps avant de consommer son vin récemment embouteillé : le phénomène d'oxydo-réduction, qui bonifie le vin, n'atteint son point d'équilibre qu'après un certain nombre de semaines (ce temps est plus ou moins long selon la nature du vin et la quantité de ses tannins). En général, on suggère d'attendre au moins un mois avant de boire le vin (trois à quatre mois est l'idéal).

Pour analyser le phénomène d'oxydo-réduction, il existe une échelle appelée potentiel redox qui permet d'évaluer la quantité d'oxygène réduite par le moût par rapport à un potentiel jugé idéal. Cette mesure est fort utile lorsqu'on procède à des assemblages de cépages. On peut doser les vins pour atteindre un équilibre parfait. Il va de soi que ces opérations ne sont pratiquées que dans le cas des vins de grandes dénominations.

Les acides

S'il est un élément important dans la constitution du vin, c'est bien son taux d'acidité. Le vinificateur amateur aura donc tout intérêt à s'informer auprès de son détaillant pour savoir s'il lui est nécessaire d'équilibrer son vin. De façon générale, ceux qui fabriquent leur vin à partir de raisins qu'ils pressent n'ont d'autre choix que de vérifier eux-mêmes le taux d'acidité de leur moût. Ils doivent donc le modifier (si nécessaire) en fonction des normes admises. Même obligation pour ceux qui achètent des concentrés qui ne sont pas équilibrés (il y en a de moins en moins).

L'acheteur de concentrés en kit, de moûts stérilisés ou de moûts frais n'a pas, normalement, à se préoccuper de l'équilibrage du taux d'acidité: ces concentrés ou moûts sont déjà équilibrés et sont livrés prêts à fermenter.

L'équilibrage du taux d'acidité est d'autant plus nécessaire que l'acidité contenue dans les raisins est variable selon les régions et les conditions climatiques dans lesquelles le raisin a connu sa maturation. On l'a dit: les pays chauds produisent des raisins dont le taux d'acidité est faible alors que, dans les régions plus froides, le taux a tendance à être plus élevé. En fait, la quantité de sucre contenue dans les raisins est plus importante dans les régions chaudes, ce qui explique du reste leur forte teneur en alcool après la fermentation (14 % et même 15 % dans certains cas).

L'équilibrage du taux d'acidité dans le vin est important pour plusieurs raisons. D'abord pour le goût: un vin trop acide est désagréable à boire, il provoque une salivation excessive (due à l'effet de l'acide) et agresse inutilement le palais. Un vin sans acide, par contre, est plat et sans saveur.

En outre, un taux équilibré d'acidité a l'avantage de préserver le vin contre la contamination par les bactéries, entre autres contre la bactérie du vinaigre. Il préserve aussi le vin contre l'oxydation et les changements de couleur. Enfin, il maintient la fraîcheur du vin.

On peut mesurer le taux d'acidité de deux manières: soit en tant que «puissance» (ou force des acides) soit en tant que quantité relative d'acide. La mesure de « puissance » se fait à partir d'une échelle appelée pH (potentiel en ions hydrogène) grâce à laquelle on détermine le taux effectif d'acidité active dans le vin. Plus le pH est faible plus le taux d'acidité est grand. L'eau, par exemple, est neutre, et son pH est 7, alors que le pH du vin dont l'acidité est équilibrée se situera entre 3,1 et 3,5. Un vin au pH plus faible prend un goût citronné ; un vin au pH plus élevé est plat. On pourra donc acidifier le vin en fonction des résultats que l'on vise.

Un pH-mètre.

Pour y arriver, on peut disposer d'une petite trousse toute simple qui permet de déterminer la quantité d'ions hydrogène contenue dans le vin. Elle se présente sous forme de petites tiges de papier (appelées papier à pH) enduites de réactif. Il suffit de tremper le papier dans le vin et de comparer cette couleur avec celles qui sont données dans un tableau fourni avec la trousse et on obtient avec une relative précision le pH du moût ou du vin.

Bien sûr, il existe des appareils plus sophistiqués qui fonctionnent électroniquement. Ces pH-mètres, dont les coûts sont extrêmement variables (de 35 $ à 3 000 $!), sont plus précis que le papier à pH et aussi très faciles d'utilisation. Ces instruments sont surtout utiles à ceux qui fabriquent du vin en très grande quantité ou encore à ceux qui veulent une maîtrise absolue sur leur production.

Il faut savoir cependant que ce qui influence le goût du vin, c'est non seulement la concentration en ions hydrogène dans le vin, mais aussi la quantité totale des acides qui s'y trouvent. On peut donc établir un bilan acidimétrique du vin pour avoir une lecture exacte des acides contenus dans le vin (pH et quantité des acides).

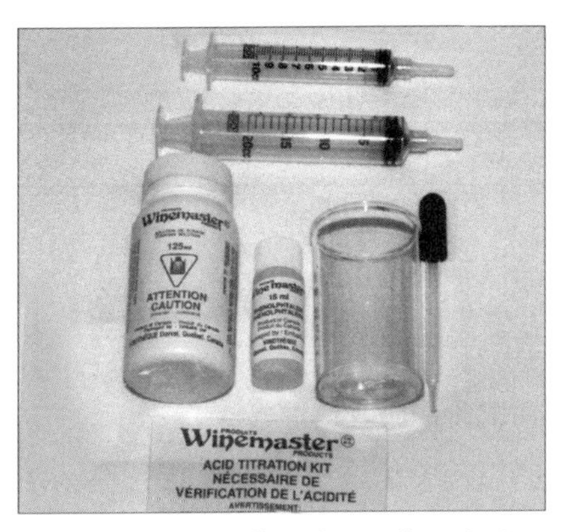

Une trousse d'analyse d'acidité.

Pour obtenir une lecture complète de l'acidité, il faut donc aussi faire une lecture de l'acidité sur le plan des quantités : ici, on mesure la quantité d'acide en grammes par litre. Le vin rouge contient habituellement entre cinq et six grammes par litre (5-6 g/l), alors que le vin blanc en contient entre cinq et sept grammes par litres (5-7 g/l). Là aussi, on peut disposer d'une trousse pour prendre les mesures en question. Les explications sont, en général, claires : il suffit, en utilisant une solution calibrée de neutraliser l'acide d'un échantillon dont on connaît le volume et, à l'aide de calculs fort simples, d'établir la quantité totale d'acide contenue dans l'échantillon.

Le problème en ce qui concerne l'acidité est qu'on peut avoir un taux d'acidité convenable, mais un pH insuffisant puisque les acides n'ont pas tous les mêmes propriétés : on peut observer un pH plus élevé pour un acide que l'on compare à un autre, même si ces deux acides sont présents dans la même quantité. Par exemple, le pH de l'acide tartrique est plus élevé que celui de l'acide citrique ; ainsi, si vous équilibrez votre taux d'acidité avec de l'acide citrique, vous obtiendrez un taux d'acidité convenable, mais votre pH sera inadéquat. Donnons un exemple pour mieux faire comprendre l'explication : un métal plongé dans de l'acide chlorhydrique sera durement attaqué par cet acide, alors qu'il ne le sera pas s'il est plongé dans de l'acide citrique, même si les deux solutions contiennent la même quantité d'acide ; cela vient du fait que leur pH est très différent, l'acide chlorhydrique était infiniment plus puissant que l'acide citrique.

Comme on l'a dit antérieurement, le vin contient trois acides importants en quantité variable : l'acide tartrique, l'acide malique et l'acide citrique. Or, l'acide tartrique a un pH beaucoup plus élevé que les deux autres ; donc il importe d'équilibrer le taux d'acidité du vin dans des proportions qui respectent la proportion naturelle des trois substances dans le vin de manière à préserver la saveur, le goût et l'arôme de celui-ci. Il y a sur le marché des mélanges acides qui tiennent compte de cet équilibre des acides dans le vin. Ces mélanges sont calibrés différemment pour les vins rouges et les vins blancs. Votre représentant pourra vous conseiller à ce sujet. Il est d'autant plus nécessaire de consulter votre détaillant que la faiblesse en acide peut ne concerner qu'un seul acide.

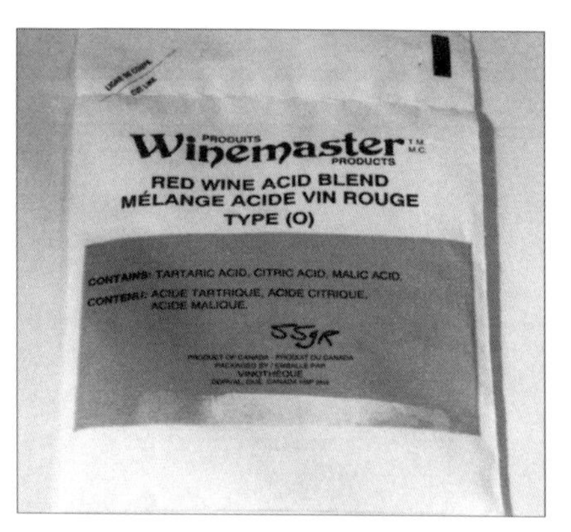

Des acides pour l'équilibrage des vins.

Par ailleurs, pour diminuer le taux d'acidité, la méthode la plus simple est sans doute de mélanger le vin trop acide avec un autre qui l'est moins. Toutefois, si l'opération n'est pas possible, il est conseillé d'utiliser du carbonate de potassium (disponible chez les détaillants). Il faut savoir cependant qu'on ne peut diminuer le taux d'acidité au delà de 1,5 g à 2 g par litre, car alors c'est le bouquet et le goût du vin qui seront affectés.

Ces informations montrent à l'évidence qu'il vaut mieux acheter des moûts ou des concentrés déjà équilibrés, car normalement vous n'aurez pas à vous préoccuper de ces questions. Cependant, certains vinificateurs amateurs tiennent à vérifier eux-mêmes le taux d'acidité de leur moût. Voilà pourquoi nous avons cru bon d'expliquer la manière de s'y prendre.

Les clarifiants

La majorité des vinificateurs amateurs se font un point d'honneur d'offrir à leurs invités un vin clair et limpide. Pour eux, c'est la marque de la réussite.

On connaît le processus de la fermentation : sous l'action des levures, le moût entre dans une phase de transformation radicale. Durant cette période, le moût se change en vin. Ce processus fort complexe entraîne un brouillage complet du moût fermenté. Après une dizaine de jours, on procède à un premier soutirage qui a pour effet de relancer la fermentation en nettoyant le moût de ses levures mortes, en le libérant aussi de son excès de gaz carbonique et, finalement, en l'oxygénant.

Après trois semaines, l'essentiel de la fermentation a eu lieu. Peu à peu, les levures meurent. Toutes les particules en suspension dans le moût se déposent lentement au fond de la tourie. Le moût entre alors dans une période plus calme au cours de laquelle il se clarifie. Ce phénomène de clarification prend plusieurs semaines, voire des mois. On juge que la clarification du vin peut s'étendre sur une période de six mois.

On comprend dans ces circonstances que le vinificateur qui utilise des moûts concentrés à vinification rapide (par exemple les kits « 28 jours ») se doit d'utiliser des produits pour clarifier le vin.

Il arrive aussi que cette opération ne se réalise jamais pleinement, même après six mois. Pour obtenir un vin parfaitement clair, deux solutions s'offrent alors à l'amateur : soit qu'il utilise des clarifiants, soit qu'il procède à la filtration[3]. À vrai dire, l'amateur fait souvent appel aux deux méthodes pour obtenir des résultats encore plus satisfaisants.

L'utilisation de produits clarifiants est sans risque. Il s'agit en général de produits naturels qui, dosés avec modération, ne sont absolument pas nocifs pour la santé.

3. Voir le chapitre 4.

La pectinase (enzyme pectolytique)

Il est parfois difficile de déterminer la nature du brouillage d'un vin.

Cependant, dans le cas où on a ajouté des baies de sureau ou d'autres saveurs à base de fruits, il se peut que le vin contienne un excès de pectine lui donnant une couleur légèrement laiteuse. Pour être certain que le vin est brouillé par la pectine, il existe un test simple : on mélange une partie de vin brouillé à quatre parties d'alcool. Si le vin est effectivement brouillé par la pectine, on verra celle-ci se déposer au fond du récipient sous forme de petits îlots blanchâtres. L'opération peut prendre jusqu'à une heure.

De la pectinase en poudre.

Une fois cette certitude acquise, on utilise de la pectinase, une enzyme qui a la propriété d'absorber la pectine et de clarifier le vin.

La pectinase est utilisée en infime quantité. Elle est généralement vendue sous forme de poudre blanche. Il faut suivre à la lettre les instructions fournies par le producteur.

La bentonite

Découverte à Fort Benton, aux États-Unis, la bentonite se retrouve en grande quantité dans l'État du Wyoming : il s'agit d'une poussière d'argile composée d'oxydes d'aluminium et de silicone qui a la propriété de précipiter les particules en suspension au fond de la tourie. De façon plus précise, disons que la bentonite contient des ions négatifs qui s'agglomèrent aux

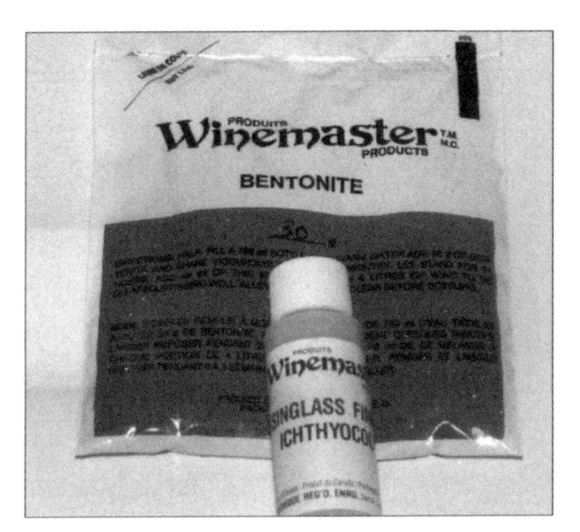

De la bentonite et de l'ichtyocolle.

particules positives du moût ; une fois la combinaison accomplie, l'ensemble se dépose au fond de la tourie, car la bentonite est plus lourde que le liquide dans lequel elle baigne.

Le mode d'utilisation est simple : il faut diluer la bentonite dans de l'eau avant de la verser dans le moût. On suggère d'utiliser un récipient muni d'un couvercle, car la bentonite a tendance à faire des grumeaux. Il faut bien agiter le mélange de manière à ce que l'argile se mêle totalement au liquide. Ensuite, on verse le tout dans le moût.

L'efficacité de la bentonite est indéniable. En quelques jours, le vin deviendra limpide. Il faut savoir cependant que la bentonite diminue la complexité du vin et lui enlève au moins 15 % de son bouquet. La bentonite peut aussi donner un goût terreux au vin.

L'ichtyocolle

« Ichtyocolle » signifie « colle de poisson ». En fait, l'ichtyocolle est tirée de la membrane interne de la vessie natatoire[4] de l'esturgeon. Dans le commerce, elle est vendue en « feuilles », en gros cordons ou sous forme de tuyaux appelés « vermicelles ». L'ichtyocolle peut servir à plusieurs usages. En ce qui concerne l'industrie du vin, c'est à des fins de clarification qu'elle

4. La vessie natatoire est un sac membraneux relié à l'œsophage du poisson qui, en se remplissant plus ou moins de gaz, règle l'équilibre de l'animal dans l'eau. Qui a eu l'idée d'utiliser l'ichtyocolle pour clarifier le vin ? C'est un mystère, mais cela prouve que les humains sont pleins de ressources et d'imagination…

est utile. La membrane est donc dépecée en tous petits morceaux et dissoute dans de l'eau froide (si nécessaire, on ajoute une très petite quantité d'acide chlorhydrique pour favoriser la dissolution). On obtient ainsi une gelée visqueuse qu'on peut transformer en poudre ou garder telle quelle.

Lorsque l'ichtyocolle est transformée en poudre, elle offre l'avantage de pouvoir être utilisée dans des quantités très précises. Il suffit de prendre la proportion nécessaire et de la reconstituer en gelée. Par rapport à la bentonite, le processus est inversé : les ions positifs s'agglomèrent aux particules négatives du moût et le produit ainsi engendré se dépose au fond de la tourie provoquant du même coup une clarification du vin. Les effets secondaires sur la qualité du vin sont dans ce cas presque nuls. On comprend aussi pourquoi, on utilise souvent ensemble ces deux produits : ils se complètent merveilleusement bien et permettent une très grande clarification.

Il est suggéré d'utiliser l'ichtyocolle en poudre parce l'ichtyocolle liquide perd une partie de ses qualités inhérentes dès l'instant où elle est mise en solution. Elle se transforme en simple gélatine. Or, à l'état de gélatine, l'action de l'ichtyocolle est beaucoup moins efficace qu'à l'état naturel.

Le Kielselsol (Claro K.C.)

Le Kielselsol est un gel de silice (SiO_2). Il s'agit d'un produit qui a été mis sur le marché par la maison allemande Bayer au cours des années quarante. L'association de la silice et de la gélatine équivaut en quelque sorte à l'association de la bentonite et de l'ichtyocolle. Quand on l'utilise, il faut d'abord diluer la silice et attendre 24 heures avant d'ajouter la gélatine. Le Kielselsol est un produit extrêmement efficace, particulièrement dans le cas des vins qui ne contiennent pas beaucoup de tannin (ce qui est le propre des vins fabriqués à partir de moûts concentrés et de moûts stérilisés ou réfrigérés). Le tannin étant un élément de clarification naturelle du vin, on comprend qu'il soit parfois nécessaire d'utiliser des clarifiants dans ces cas. Quant à savoir pourquoi les vins fabriqués à partir de moûts concentrés, stérilisés ou réfrigérés ne contiennent pas une grande quantité de tannin, la raison est simple : ces vins sont destinés à être bus rapidement et ne peuvent être gardés en cave pendant des décennies comme c'est le cas des grands vins de Bourgogne ou de Bordeaux.

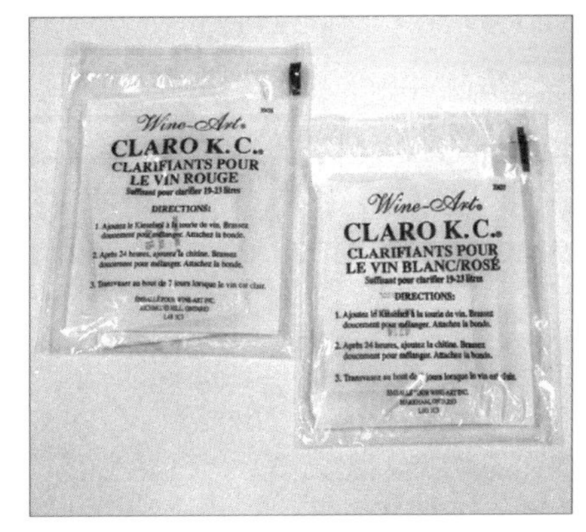

Le Kielselsol, commercialisé sous le nom de Claro K.C.

Le Kielselsol est commercialisé par la maison Wine Art sous le nom Claro K.C. La maison Wine Art a créé un produit spécifique pour les vins blancs et un autre pour les vins rouges.

D'autres clarifiants

Il existe d'autres clarifiants à base d'albumine (blanc d'œuf), de caséine ou de sang de bœuf défibriné. Nous suggérons au vinificateur amateur de consulter son détaillant pour savoir lequel des clarifiants s'impose dans son cas. En général, on propose ceux dont on vient de parler précédemment (bentonite, ichtyocolle, Kielselsol).

Les stabilisants

Il est recommandé de procéder, à un moment ou à un autre, à la stabilisation du vin. Stabiliser le vin ne veut pas dire (ce que certains croient) « tuer » toute vie dans le vin, mais bien plutôt freiner une possible refermentation en bouteilles. À vrai dire, il est infiniment souhaitable que le vin continue de vivre pour poursuivre sa maturation jusqu'au moment où il sera consommé, mais il faut aussi savoir que, malgré une fermentation réussie, le vin a conservé une partie de son sucre et que ce sucre résiduel risque, un jour ou l'autre, de se transformer en alcool ou en CO_2. On considère qu'il reste encore un quart à un demi pour cent de sucre dans le vin sec, et jusqu'à deux pour cent dans le vin doux.

Ainsi, si on ne fait rien pour inhiber l'action des levures, les risques qu'une refermentation se produise existent. Le vin deviendra au mieux semi-pétillant, et au pire il sera perdu, le bouchon ayant sauté lors de la période de maturation

Il y a plusieurs méthodes de stabilisation. Certaines ne sont pas à la portée des amateurs, comme passer le vin dans des centrifugeuses pour faire disparaître la presque totalité des levures susceptibles de se remettre à l'œuvre à l'intérieur des bouteilles. Chez les professionnels, on procède parfois à une filtration stérilisante qui a pour effet de bloquer le passage des levures et des bactéries encore actives dans le vin clarifié.

Bien sûr, l'ajout de métabisulfite engendre une action inhibitrice sur la fermentation, mais les quantités que nous avons suggérées au vinificateur amateur ne sont pas suffisantes pour freiner une refermentation en bouteilles.

Du sorbate de potassium.

On suggère plutôt d'utiliser le sorbate de potassium, qui est un dérivé de l'acide sorbique. Cela a été prouvé : le sorbate de potassium est non cancérigène et absolument inoffensif pour la santé[5]. Il est d'autant moins dangereux que les doses utilisées pour stabiliser le vin sont

5. Le sorbate de potassium a été officiellement déclaré produit non cancérigène après qu'on eut pratiqué, depuis plus de 35 ans, une batterie de tests sur différents produits qui en contenaient.

vraiment minimes si on les compare à l'usage qu'on en fait dans d'autres produits alimentaires (particulièrement dans les desserts comme les biscuits, les gâteaux, etc.).

> *On en utilise deux cuillerées à thé pour 20 litres de vin. Il faut savoir cependant que l'utilisation du sorbate de potassium peut occasionner des désagréments si le vin a subi une fermentation malo-lactique, car il a toutes les chances de prendre un goût de géranium et de devenir imbuvable. Cette mise en garde ne s'applique donc que pour les vins faits à partir de moûts frais ou de raisins pressés[6]. Tous les vins fabriqués à partir de concentrés, de semi-concentrés ou de jus stérilisés sont à l'abri de la fermentation malo-lactique.*
> *Ainsi, dans le cas des moûts frais et des raisins pressés, on suggère de procéder de la façon suivante : on ajoute un quart de cuillerée à thé (1,4 g) de métabisulfite de potassium (préalablement dissous dans de l'eau) dans le moût et on attend trois jours avant de procéder à la stabilisation du vin avec du sorbate de potassium. De cette façon, on inhibe ou on détruit les bactéries malo-lactiques qui pourraient engendrer ce goût détestable dont on vient de parler.*

Pour obtenir des résultats probants, il est fortement recommandé que le vin contienne suffisamment de métabisulfite, c'est-à-dire 30 ppm de SO_2 libre à l'embouteillage (voir à ce sujet le chapitre 6).

On trouvera — en particulier dans le chapitre sur la vinification — d'autres informations au sujet de l'emploi des différents produits dont nous venons de parler. Tous ces produits sont fréquemment utilisés pour la fabrication du vin, tant domestique que commerciale. Il est donc important de

6. Comme on l'a vu antérieurement, la fermentation malo-lactique n'a lieu que dans les moûts qui n'ont pas été stérilisés. Les concentrés, les semi-concentrés, les jus stérilisés ne peuvent engendrer une fermentation malo-lactique parce que la stérilisation a tué les bactéries malo-lactiques.

connaître leur composition et leurs qualités, les précautions à prendre quand on les utilise, de même que les cas où ils sont contre-indiqués.

Chapitre 4

L'équipement de base

Pour procéder à la vinification de moûts frais à partir de jus concentrés, semi-concentrés, stérilisés ou frais, il faut disposer d'un certain nombre d'articles et d'instruments. Le matériel requis est moins coûteux qu'on pourrait le croire de prime abord. De fait, avec un budget d'une centaine de dollars, on peut s'équiper convenablement et produire du vin. C'est peu, surtout si l'on considère que l'on peut faire du vin pour environ 2 $ la bouteille (un peu plus ou un peu moins dépendant du choix du moût). Et puis, une fois le matériel payé, vous pouvez l'utiliser plusieurs fois, sinon indéfiniment. Bien sûr, la passion et l'envie de progresser dans l'art de la vinification vous inciteront peut-être à débourser un peu plus !

Si vous êtes un débutant, vous avez cependant intérêt à y aller avec prudence. À ce titre, le détaillant de moûts offre à la nouvelle clientèle l'ensemble des éléments essentiels à la fermentation de moûts pour des prix allant de 25 $ à 55 $, en fonction de la qualité des produits fournis (par exemple, une tourie de verre coûte plus cher qu'une tourie de plastique ; le prix d'un densimètre varie selon le type et la qualité du produit, etc.). En général, les détaillants ne font pas d'abus, car ils ont intérêt à fidéliser leur clientèle.

Voici les instruments et appareils les plus utiles à la vinification.

La cuve de fermentation primaire

La cuve de fermentation dite cuve primaire est nécessaire pour éviter le débordement du moût en cuve normale. Cette cuve doit présenter une grande ouverture de manière à laisser s'échapper l'importante quantité de gaz carbonique libéré au cours des premiers jours de la fermentation (et pour permettre aussi un lavage plus facile). En outre, pour éviter le débordement du moût, la contenance de la cuve primaire devra largement dépasser le volume de vin qu'on fait fermenter. En fait, il devrait y avoir au moins 10 cm (4 po) entre le niveau du vin et l'extrémité supérieure de la paroi de la cuve : il faut laisser cet espace pour la mousse qui se formera au cours de la fermentation.

On suggère donc une cuve de fermentation primaire de 30 litres (6,6 gallons). Celle-ci est d'ordinaire faite de plastique. Il faut aussi se procurer une feuille (en plastique également) faite pour couvrir l'ouverture de la cuve. Pour que la feuille tienne solidement à la cuve, il est suggéré de l'entourer d'une corde à laquelle est noué un élastique. On peut même trouver de grands élastiques (6 po ou 15 cm) qui pourront être utilisés sans qu'on y ajoute de la corde. On peut les trouver dans les magasins qui vendent des articles de bureau.

Parfois, on offre des cuves qui ont l'allure d'un seau. Elles sont munies d'un couvercle de plastique dans lequel on peut insérer une bonde. Bien que ces cuves ne soient pas toujours faciles à manipuler quand on veut vérifier la densité du moût, elles sont de plus en plus utilisées parce qu'elles offrent une protection accrue contre les bactéries venues de l'extérieur et qu'elles protègent le vinificateur amateur de la curiosité des animaux domestiques (les chats particulièrement), lesquels peuvent décider un beau matin de prendre un bain de moût et ruiner du coup 23 litres de vin !

En ce qui concerne la cuve de plastique, choisissez celle qui est de couleur naturelle (blanche). Si vous optez pour une cuve de couleur, vérifiez qu'elle soit classée « grade alimentaire», car, pour des raisons de composition chimique, les cuves colorées qui ne portent pas cette mention sont totalement à déconseiller: elles contiennent une forte quantité de plomb (pour la coloration) et sont donc nocives pour la santé. Elles peuvent aussi altérer le goût du vin.

Les amateurs habitués et prévoyants, quant à eux, utilisent souvent des touries de verre même pour la fermentation primaire. Il s'agit alors de prendre garde au format: on peut fermenter 20 litres de vin dans une tourie de 23 litres, et 23 litres de vin dans une tourie de 28 litres; on peut alors placer une bonde sur le goulot sans crainte de débordement. Cette méthode est sécuritaire et très efficace. Elle exige cependant les mêmes attentions que pour les cuves ordinaires (donc un soutirage quand la densité atteint 1,020 ou moins). Les touries de verre sont forcément plus coûteuses que les cuves primaires de plastique et ne sont conseillées qu'à ceux qui font du vin depuis longtemps.

Une cuve primaire pour la fermentation de moûts.

La cuve de fermentation secondaire

Il s'agit en général de touries de plastique ou de verre dont la contenance est de 20 ou de 23 litres (formats standard). Les touries de plastique sont fabriquées avec du polyéthylène ou du polypropylène, un plastique inerte. Elles n'entrent donc pas en réaction avec le vin. Elles offrent l'avantage d'être plus légères (de cinq kilos) que le verre et de se manipuler plus facilement. Elles présentent cependant le désavantage d'être plus opaques; par conséquent, elles rendent plus difficile l'observation de la limpidité du vin. Remarque encore plus importante : on ne peut utiliser une tourie de plastique pour la fabrication des vins que l'on veut faire vieillir plus de trois mois, pour la bonne raison que la tourie de plastique n'est pas totalement imperméable à l'air. L'oxygène qui pénètre à travers la paroi risque d'oxyder le vin. Signalons enfin que les touries de plastique, à cause de leur paroi moins lisse, sont plus sujettes à conserver les bactéries nocives pour le vin que les touries de verre.

Nous vous mettons en garde contre l'utilisation des touries de plastique vendues par les compagnies d'eau de source ou d'eau déminéralisée. Ces touries risquent de se dissoudre partiellement sous l'effet de l'alcool et d'être nocives pour la santé. Lisez d'ailleurs l'avis très clair apposé sur ces contenants à cet effet.

Le verre est donc préférable particulièrement si vous avez l'intention de garder votre vin longtemps en tourie. Cela dit, choisissez la tourie dont les « coutures » sont verticales (elles partent du goulot et vont jusqu'à la base, il y en a quatre en général). Ces touries risquent moins d'éclater que celles dont la couture (peu visible) est située à la base du contenant. Ces dernières sont sensibles aux variations de température et pourraient éclater lors de rinçages.

Les touries peuvent avoir plusieurs dimensions. Les plus grosses contiennent 54 litres, mais on en trouve en formats de 4 litres, de 11 litres et demi, de 15 litres, de 18 litres, de 19 litres, de 20 litres, de 23 litres et de 28 litres.

En fait, la plupart des amateurs jettent leur dévolu sur les touries de 20 et de 23 litres, tout simplement parce que ces quantités correspondent à celles des moûts offerts habituellement sur le marché.

Le débutant devra du reste se méfier de son enthousiasme. Il doit savoir que ces cuves auront à être manipulées à deux ou trois reprises en cours de production. Est-il nécessaire de dire qu'on ne soulève pas une dame-jeanne de 54 litres comme si c'était un magnum de champagne ?

Des touries.

Attention *: ne lavez pas les touries de verre ou de plastique à l'eau chaude.*

Enfin, ne soyez pas surpris de constater que les touries ne contiennent pas les quantités officiellement affichées. L'écart dépasse un litre, parfois deux ! Comme quoi la perfection n'est pas de ce monde ! Vous devrez donc composer avec les petites surprises du métier et vous y adapter. Il est donc à prévoir que vous pourriez manquer de moût ou de vin quand vous ferez des soutirages d'une tourie à l'autre.

L'amateur peut aussi choisir des dames-jeannes, disponibles aussi en plusieurs formats. Celles-ci ont la forme d'une goutte d'eau et sont offertes avec un recouvrement de plastique ou de paille muni de poignées. À vrai dire, elles sont plus pratiques que les touries conventionnelles, mais moins prisées des amateurs parce qu'elles sont plus fragiles. Comme elles sont faites de verre soufflé, leur paroi n'est pas uniforme : certaines parties sont beaucoup plus minces que d'autres, rendant les

Des dames-jeannes.

risques d'éclatement plus probables que dans le cas des touries conventionnelles. Elles demandent aussi plus de temps pour le nettoyage, car il faut les « déshabiller », c'est-à-dire enlever leur recouvrement, ce qui ajoute une opération. Pourtant, ce recouvrement est utile : il protège non seulement le verre, mais évite que la lumière n'affecte la couleur du vin. L'amateur de dames-jeannes a donc tout intérêt à les utiliser telles qu'il les a achetées. Sinon il vaut mieux qu'il opte pour les touries conventionnelles.

Les autres instruments

Il existe un certain nombre d'instruments essentiels à la vinification. En général, ces instruments ne coûtent pas très chers. Nous les présentons ici.

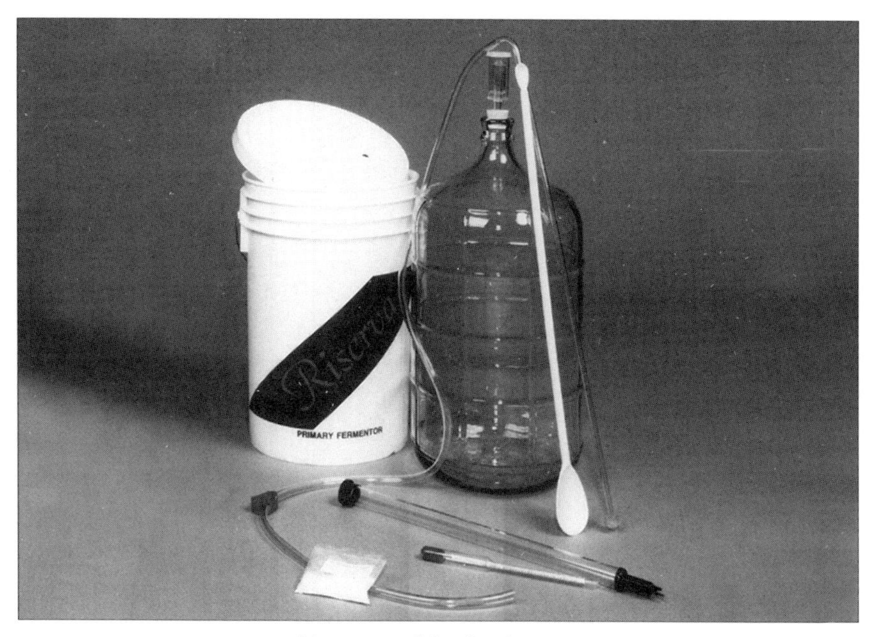

Un ensemble de départ.

La cuillère à brasser

Celle-ci, faite de plastique, est en fait le plus souvent deux cuillères en une : une petite pour le goulot des touries et une plus grande pour les cuves primaires. Elle servent à plusieurs usages.

Les tuyaux et les autres instruments qui servent au soutirage

La façon la plus sécuritaire de transvaser le vin d'un récipient à un autre est le siphonnage. Toutes les autres méthodes risquent de vous donner des sueurs froides !

Pour siphonner le vin, il faut avoir les articles suivants.

a) Un tuyau flexible en plastique d'une longueur d'au moins deux mètres.

b) Un tuyau rigide dont la longueur doit dépasser la hauteur de votre tourie ou de votre dame-jeanne d'au moins dix centimètres. Ce tuyau rigide sera recourbé aux deux extrémités, le haut formant un angle plus ou moins aigu, le bas étant recourbé en U. Ce tuyau rigide est placé dans la cuve secondaire pleine et l'extrémité en U doit toucher le fond. C'est pour éviter d'aspirer les dépôts contenus dans le moût qu'on utilise un tuyau recourbé en U.

Certains tuyaux sont dotés d'un système tout aussi efficace. Il s'agit d'un capuchon qu'on fixe à la base du tuyau rigide. Ce capuchon est façonné de telle sorte qu'il évite d'aspirer les dépôts au fond de la cuve secondaire.

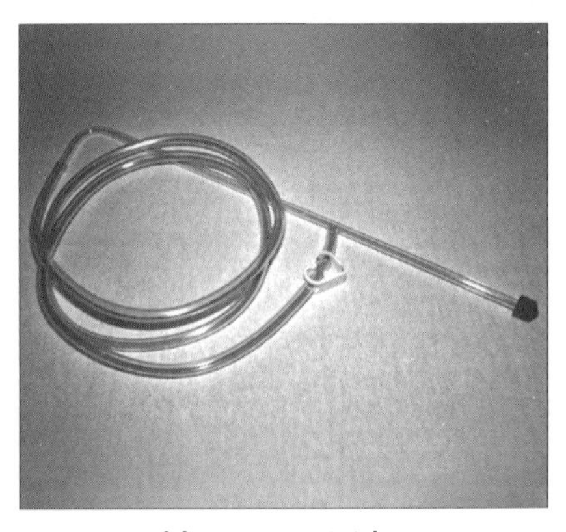

Un tuyau rigide.

Quant à l'angle aigu de l'autre extrémité, il sert tout simplement à empêcher le tuyau flexible de se plier sur lui-même et de couper la circulation du vin d'un récipient à l'autre.

c) Un pince-tuyau qu'on fixe à l'extrémité du tuyau près du récipient vide. Il sert à couper l'alimentation dans le cas où le récipient à remplir risque de déborder, ou pour toute autre raison.

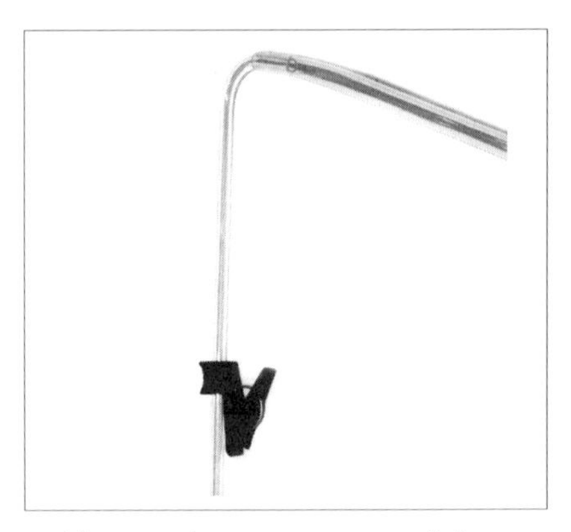

Un attache-tuyau : pour éviter que le tuyau ne s'échappe de la cuve.

Un attache-tuyau est aussi utile. Il s'agit d'une pince dans laquelle on peut glisser le tuyau et qui permet de bien le tenir en place en le rattachant au goulot de la tourie ou au rebord de la cuve primaire. Cet instrument évite que le tuyau ne s'échappe de la cuve ou de la tourie à la suite d'une mauvaise manipulation.

Le soutirage par siphonnage est une opération simple. Il suffit de placer les deux récipients à des hauteurs différentes, le récipient plein étant placé plus haut que le récipient vide. Pour faciliter un bon débit, il est souhaitable que la base du récipient plein soit juste à la hauteur ou un peu plus haut que le goulot du récipient vide. Une fois les deux récipients bien placés (le plancher doit être protégé au cas où il y aurait des dégâts), on plonge le tuyau rigide dans le récipient plein, on étire le tuyau flexible puis on aspire le vin par la bouche ou encore on utilise une poire de laboratoire. On laisse circuler le vin jusqu'à ce qu'il ait atteint les deux tiers du tuyau flexible. On bouche avec son pouce ou avec le pince-tuyau puis on glisse le tuyau dans le récipient vide. La pression provoquée par la dénivellation fera passer automatiquement le liquide du récipient du haut à celui du bas.

En fait, l'opération, facile à réaliser, serait un réel plaisir s'il n'y avait pas les fréquentes éclaboussures qui peuvent ruiner votre plancher, surtout s'il est recouvert d'un tapis. Prudence, donc, et protégez le sol d'une toile de plastique sur laquelle vous pourrez en plus déposer de vieux journaux.

La bonde hydraulique

La bonde hydraulique remplace — de façon beaucoup plus efficace — l'huile qu'on ajoutait autrefois au vin une fois qu'on avait rempli la tourie ou la dame-jeanne à ras bords. La bonde sert à empêcher l'air d'entrer en contact avec le vin, tout en permettant aux gaz de s'en échapper. Pour y parvenir, on a trouvé une solution toute simple : placer un « isolant » entre l'air extérieur et le vin en tourie.

Il y a deux types de bonde actuellement en vente sur le marché. La première, en plastique, a une forme très particulière. Elle ressemble à un S placé à l'horizontale et dont la forme comporte un renflement en son centre. On y verse du métabisulfite de potassium jusqu'à la moitié de son niveau.

Une bonde en forme de S couché,
une bonde à chapeau cylindrique et des bouchons de caoutchouc.

Les gaz, qui naissent de la fermentation lente de la cuve secondaire, exercent progressivement une pression sur le liquide qui est repoussé jusqu'à la partie la plus basse de l'angle du S. Aussitôt franchies les limites de cet angle, les gaz excédentaires s'échappent alors sous forme de bulles dans l'air extérieur. Libéré de la pression qui s'exerçait sur le liquide, ce dernier revient aussitôt à sa position initiale. Le processus peut continuer ainsi pendant tout le temps que dure la fermentation sans que jamais le vin entre en contact avec l'air extérieur.

Cependant, il arrive parfois que l'air extérieur soit attiré vers l'intérieur (à la suite d'un brusque changement de température). En fait, le système fonctionne dans les deux sens même s'il est loin d'être souhaitable que l'air pénètre à l'intérieur de la bonde.

Il s'agit donc d'une invention à la fois simple et ingénieuse, à la condition toutefois de surveiller le niveau du liquide qui, comme tout liquide, s'évapore lentement avec le temps. Il faut donc être très attentif au phénomène d'évaporation.

L'autre système repose sur le même principe. Dans un récipient cylindrique on a percé à la base un trou auquel est relié un tuyau plus petit qui communique avec la cuve secondaire. Ce petit cylindre pénètre dans le grand cylindre jusqu'aux deux tiers de la hauteur de ce dernier. On ajoute du métabisulfite dans le grand cylindre jusqu'à un niveau inférieur à l'orifice supérieur du petit cylindre (sinon le métabisulfite coulera dans la cuve). Puis on dépose un chapeau sur le petit cylindre, chapeau dont la base, trouée tout autour, baigne dans le métabisulfite. Les gaz qui s'échappent de la tourie pénètrent dans le petit tuyau cylindrique et soulèvent le chapeau qui, dès que sa base excède le niveau de métabisulfite, laisse échapper les gaz par les trous qui y sont pratiqués. Aussitôt que les gaz se sont évaporés, le petit chapeau retombe et sa base s'enfonce à nouveau dans le liquide, coupant du coup tout contact avec l'air ambiant. Le résultat est le même que pour l'autre bonde : le vin n'est jamais en contact avec l'air et est donc préservé des bactéries nocives.

On semble actuellement favoriser la bonde cylindrique qui devient de plus en plus la norme chez les détaillants. Pourtant, la bonde en S offre plus d'avantages que sa rivale même si elle est plus difficile à nettoyer quand le vin se mélange au métabisulfite de potassium. La raison ? Sa forme sinueuse empêche le métabisulfite de s'évaporer aussi rapidement que dans la bonde cylindrique.

Quel que soit votre choix n'oubliez surtout pas de placer le petit couvercle de plastique (troué) sur les deux bondes. De cette façon, vous diminuez encore plus le phénomène d'évaporation.

Le densimètre, la poire et le cylindre

S'il est un instrument qu'on utilise fréquemment lors de la fermentation du vin, c'est bien le densimètre (qu'on appelle aussi hydromètre). Il s'agit d'un instrument fort simple, dont l'efficacité est incontestable. Un densimètre comporte en général trois échelles graduées : l'échelle de densité spécifique (DS), qui est celle dont on se sert le plus souvent, l'échelle de degrés Balling (qui a la même utilité que l'échelle DS et est utilisée en laboratoire et dans plusieurs pays), et finalement l'échelle qui sert à mesurer le potentiel d'alcool (sur laquelle nous reviendrons ultérieurement dans le chapitre sur les échelles et mesures [1]).

Le densimètre est un instrument essentiel pour la vinification.

Pour effectuer une analyse densimétrique (échelle DS), le vinificateur amateur a besoin de trois choses : 1. une poire à jus qui lui permet de soutirer le vin de la cuve (primaire ou secondaire) ; 2. un récipient cylindrique dans lequel il verse le vin soutiré ; 3. un densimètre.

Le densimètre est un long tuyau gradué dont la base évasée contient une masse spécifique et constante. Ce tuyau hermétique rempli d'air sert à évaluer précisément la densité du moût. On conseille d'opter pour le densimètre de 30 cm (12 po) plutôt que pour celui de 15 cm (6 po).

Si on utilise un cylindre classique, il suffit de le remplir au moyen de la poire à jus, puis d'y plonger le densimètre. Compte tenu que le sucre contenu dans le moût de raisin est plus dense que l'alcool (la densité de l'alcool pur est de 0,792 et celle de l'eau distillée est de 1,000), les résultats que vous lirez sur le densimètre seront toujours plus élevés avant la fermentation qu'après, puisque le sucre se sera progressivement transformé en alcool. Ainsi, si on plonge le densimètre dans le moût de rai-

1. Voir le chapitre 7.

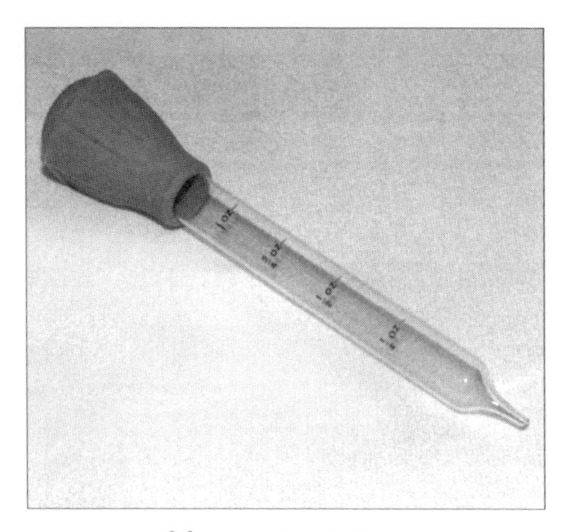
Une poire à jus.

sin, la densité devrait normalement se situer entre 1,075 et 1,095, dépendant de la quantité de sucre contenue dans le moût. Par contre, lorsque la fermentation sera complétée, la densité variera de 0,990 à 0,995, pour les vins les plus secs, et de 0,995 à 0,998 pour les vins légèrement plus sucrés ou contenant moins d'alcool.

Il existe aussi depuis peu sur le marché un cylindre qu'on peut plonger directement dans le moût pour le remplir. Il est commercialisé sous le nom de « Voleur de vin » par la compagnie Fermtech. Ce cylindre, dans lequel on a introduit le densimètre, peut être glissé par le goulot dans la tourie (ou plongé dans la cuve) pour atteindre le moût. Il est muni, à la base, d'une valve qui permet de laisser entrer le moût qu'on veut tester. Une fois l'opération accomplie, on fait la lecture de la densité. Quand l'opération est terminée, on place la base du cylindre dans le goulot de la tourie (ou au-dessus de la cuve), puis on appuie sur le déclencheur d'ouverture de la valve pour vider le contenu du cylindre dans la tourie (ou dans la cuve). Cet appareil, pas beaucoup plus coûteux que le cylindre habituel, est efficace et pratique.

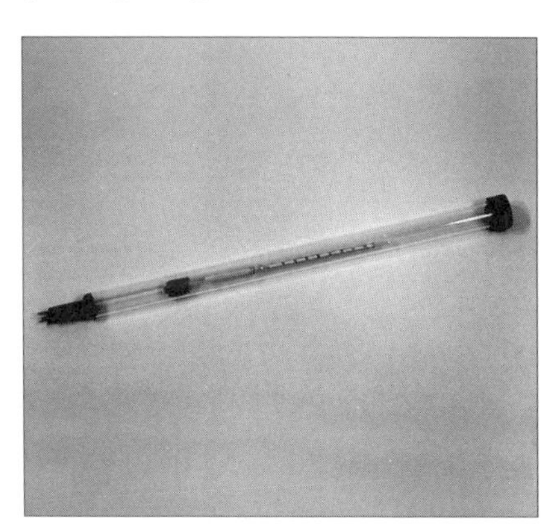
Un cylindre muni d'une valve.

L'avantage du densimètre est qu'il permet de savoir si la fermentation a été réussie. Après 21 jours de fermentation, le densimètre doit marquer 1,000 ou moins. S'il indique une mesure plus haute, cela signifie que la fermentation s'est arrêtée en cours de route et qu'il faut la relancer.

Le thermomètre

Le thermomètre sert à mesurer la température du moût. On en trouve de deux sortes.

Le premier ressemble au densimètre. Il est plongé dans le moût (n'ayez crainte, il flotte !) et permet de connaître la température exacte du moût. Il est plus pratique d'utiliser un thermomètre de 30 cm (12 po), de la même longueur que le densimètre : cela évite des recherches ardues quand le thermomètre est plongé dans un moût plein de mousse de fermentation…

Le second se présente comme une bande de plastique autocollante qu'on place sur la paroi extérieure de la cuve primaire ou secondaire. Ce thermomètre numérique marque la température sur la bande en question dès qu'on le met en contact avec la paroi de la tourie. Ce thermomètre est peu coûteux et très pratique. D'une lecture facile et rapide, il ne risque pas de contaminer le moût.

Le thermomètre est utile durant la fermentation alcoolique et la fermentation malo-lactique ou encore pour connaître la température des moûts durant leur vieillissement.

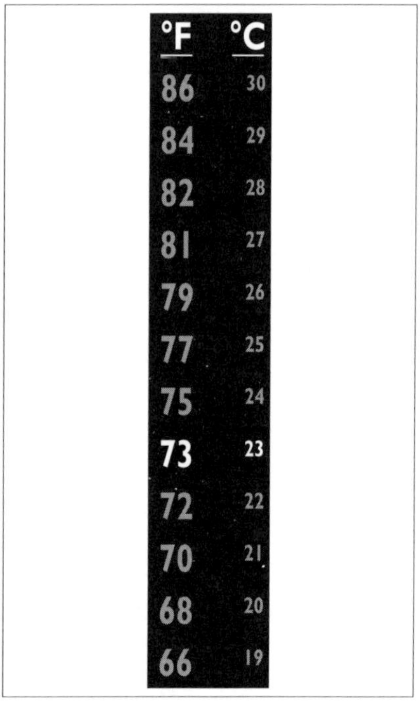

Les thermomètres numériques ont supplanté rapidement les thermomètres de verre.

Les bouchons de touries

Les goulots des touries et des dames-jeannes n'ont pas tous la même dimension. Il est donc souhaitable d'acheter le bouchon en même temps que le récipient choisi pour être sûr de faire le bon choix. Un bon bouchon est celui qui pénètre dans le goulot jusqu'aux deux tiers de sa hauteur. Si le bouchon ne peut être introduit aussi profondément, il risque de se soulever de lui-même et de laisser alors l'air pénétrer à l'intérieur de la tourie. Par contre, si son diamètre est trop petit, le résultat risque d'être tout aussi désastreux : le bouchon se retrouvera peut-être au fond du récipient et vous causera bien des soucis !

La plupart des bouchons sont faits de caoutchouc. À cause de son élasticité, c'est le matériau idéal. Il peut par contre donner un mauvais goût à votre vin s'il est situé trop près du vin. Il faut donc s'assurer qu'il y a au moins cinq centimètres entre le bouchon et le niveau du vin.

On a mis sur le marché depuis quelque temps des bouchons en silicone. Ces bouchons ne risquent pas de donner un mauvais goût au vin. Cependant, lorsqu'on les utilise sans prendre les précautions qui s'imposent, ils ont tendance à se soulever d'eux-mêmes, entraînant du coup une fâcheuse entrée d'air dans les récipients. Il faut donc procéder de la façon suivante : glisser d'abord le bouchon dans le goulot de la tourie, puis appuyer fortement pour qu'il tienne bien en place. Ce n'est qu'à ce moment qu'on place la bonde sur le bouchon provoquant par le fait même un resserrement du bouchon sur les parois du goulot. Si on procède de cette façon, les bouchons de silicone resteront bien en place et

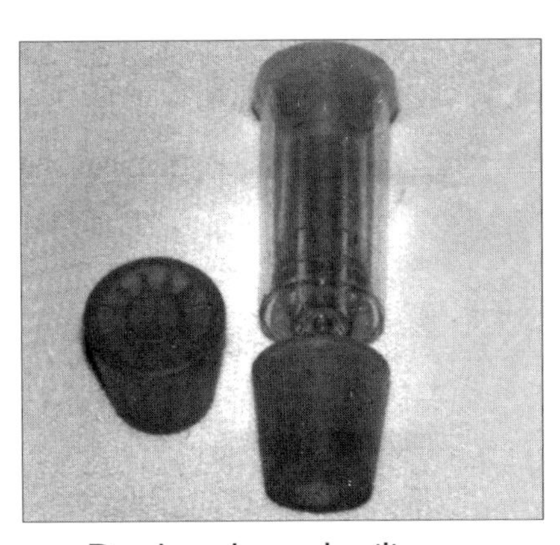

Des bouchons de silicone.

donneront entière satisfaction aux usagers. Ces bouchons s'accommodent mal des bondes hydrauliques en forme de S couché car l'ouverture du bouchon pour recevoir la tige de la bonde est légèrement trop grande. Il est donc préférable alors d'utiliser une bonde à chapeau cylindrique.

Récemment, on a mis sur le marché des bouchons de caoutchouc qui ne sont pas pleins. Ces bouchons sont constitués d'un rebord qui vient épouser le goulot de la tourie et d'une base à partir de laquelle émerge un cylindre dans lequel on peut introduire la bonde hydraulique. Ces bouchons sont très malléables. On peut donc les mettre ou les enlever du goulot de la tourie avec facilité.

Des nouveaux bouchons de caoutchouc.

Les bouteilles

L'embouteillage est l'ultime opération du vinificateur amateur. Il faut s'y préparer en accumulant suffisamment de bouteilles qui permettront d'entreposer et de laisser vieillir le vin. Bien sûr, on peut acheter des bouteilles, mais pourquoi le faire quand on peut en recycler soi-même, ou en demander aux amis, aux voisins… Ces bouteilles doivent forcément être lavées au détergent puis rincées. À cet effet, il est pratique d'avoir certains instruments fort utiles, et en général peu coûteux. Les voici.

Le rince-bouteilles

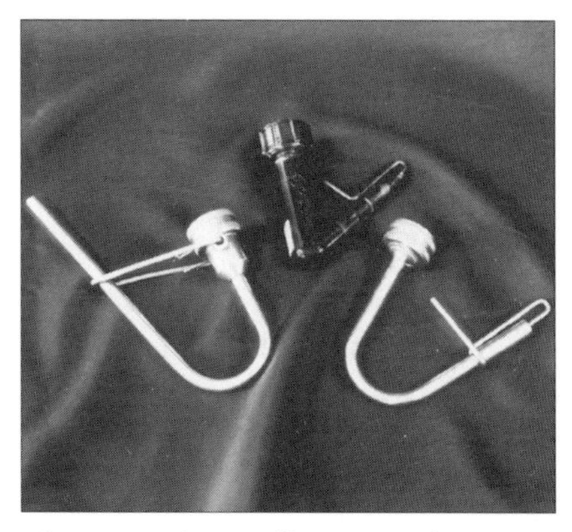
Le rince-bouteilles : un achat qui s'impose, surtout si vous utilisez des bouteilles recyclées.

Même s'il ne se retrouve pas dans le kit de base, le rince-bouteilles est un appareil extrêmement utile puisqu'il permet de nettoyer à fond les bouteilles et même les touries. Cet appareil se visse au robinet (parfois il faut utiliser un adaptateur) et permet de lancer avec force l'eau jusqu'au fond des bouteilles. Il peut déloger la saleté avec beaucoup d'efficacité et éviter un travail ardu avec la brosse. Son prix en vaut le coût (une vingtaine de dollars).

L'égouttoir à bouteilles

L'égouttoir à bouteilles.

On l'appelle couramment l'« arbre de Noël ». Il s'agit d'un tronc autour duquel sont disposées des tiges destinées à recevoir les goulots des bouteilles. Comme celles-ci sont placées à l'envers, le surplus d'eau qu'elles contiennent peut s'égoutter complètement sur une large base qui la récolte. Cet appareil évite que l'eau ne se corrompe au fond des bouteilles et soit ainsi un foyer propice au développement des bactéries.

Une fois que les bouteilles sont bien sèches (l'égouttoir peut en recevoir de 44 à 88), on peut les ranger dans des boîtes de carton ou tout simplement les laisser sur l'arbre.

Le sulfiteur

Cet appareil qui peut être placé sur le sommet de l'égouttoir est, lui aussi, fort pratique. Il s'agit d'un réservoir muni d'une tige aspergeante dans lequel on met du métabisulfite qui, par pression, lance le liquide à l'intérieur de la bouteille. Chaque pression exercée sur la bouteille provoque un afflux de métabisulfite qui se diffuse avec force à l'intérieur de la bouteille pour l'aseptiser totalement. Cet appareil coûte une vingtaine de dollars. Il vaut son pesant d'or, car il permet de gagner du temps. Il n'est alors plus nécessaire de mettre du métabisulfite dans une bouteille au moyen d'un entonnoir, d'agiter pour aseptiser la bouteille, puis enfin, toujours au moyen de l'entonnoir, de verser le métabisulfite dans la bouteille suivante et ainsi de suite. Ici, une seule opération suffit, le métabisulfite retournant spontanément à son bassin d'origine. Cet appareil est d'autant plus pratique qu'il évite l'inhalation constante des vapeurs de métabisulfite.

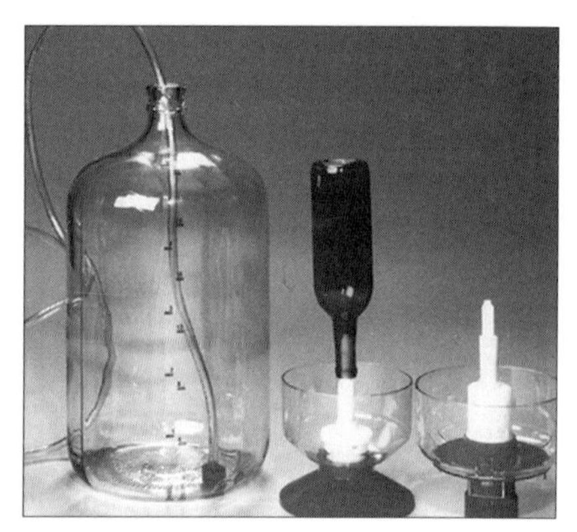

Le sulfiteur est un appareil qui fait économiser du temps.

Le doseur à clapet (remplisseur de bouteilles)

Ce petit appareil est presque essentiel. Il s'agit d'un clapet installé au bout d'un tuyau de plastique rigide. Ce tuyau est

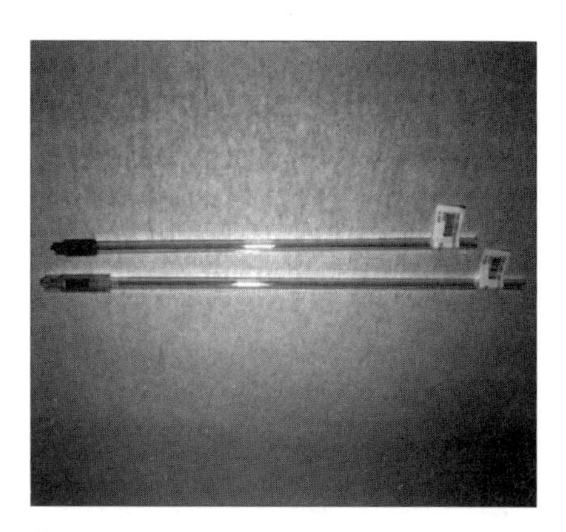

Deux modèles de doseur à clapet : un petit appareil fort ingénieux.

relié à un tuyau flexible qui se rend jusqu'à la tourie pleine. On glisse le tuyau rigide dans la bouteille qu'on veut remplir. Il suffit ensuite de presser le tuyau rigide contre le fond de la bouteille pour qu'une tige, située à l'extrémité du tuyau, ouvre le clapet, permettant ainsi l'écoulement du vin. Le clapet se referme dès qu'on soulève le tuyau rigide, bloquant du coup l'écoulement du vin. On peut remplir ses bouteilles en un tournemain, presque sans dégât (attention, la tige bloque parfois !) si on est le moindrement attentif au débit du vin dans la bouteille. Pour 4 $, c'est donné !

Le doseur automatique

Un peu plus coûteux, mais encore plus efficace, le doseur automatique est un appareil qu'on place sur le goulot d'une bouteille et qui la remplit jusqu'au niveau normal. Cet appareil est muni d'un deuxième tuyau dont la fonction est de récupérer l'excédant de vin ou de mousse en le rejetant dans un récipient placé à côté de la bouteille. Ce doseur évite aussi toute forme de débordement (ce qui n'est pas toujours le cas du doseur manuel à clapet).

Le doseur automatique : plus efficace que le doseur manuel, mais plus coûteux.

L'Enolmatique

L'Enolmatique est un autre type de remplisseur de bouteilles. Il coûte beaucoup plus cher (environ 300 $) que les deux précédents et est destiné aux amateurs qui produisent beaucoup de vin. Il fonctionne par succion. L'appareil permet un remplissage très rapide par vide d'air (ce qui diminue la prolifération des bactéries). On peut l'accoupler à un filtre ou même s'en servir pour le soutirage.

À cause de son coût (300 $), l'Enolmatique est destiné aux amateurs qui fabriquent du vin en grande quantité.

La bouchonneuse

Quand vient le temps de se procurer une bouchonneuse, il faut surtout éviter d'acheter les modèles qui ne sont pas sur pied : ils demandent des efforts surhumains et risquent de vous faire perdre à tout jamais patience. Le modèle sur pied, fait de métal solide, est quasi indestructible et d'une très grande efficacité. Boucher une bouteille vous prend quelques secondes et il est très rare, si vous savez manipuler l'appareil et placer les bouchons avec soin, que vous fassiez des dégâts. Il faut surtout surveiller que la bouteille soit placée exactement là où elle doit se trouver pour que l'opération se fasse sans entrave.

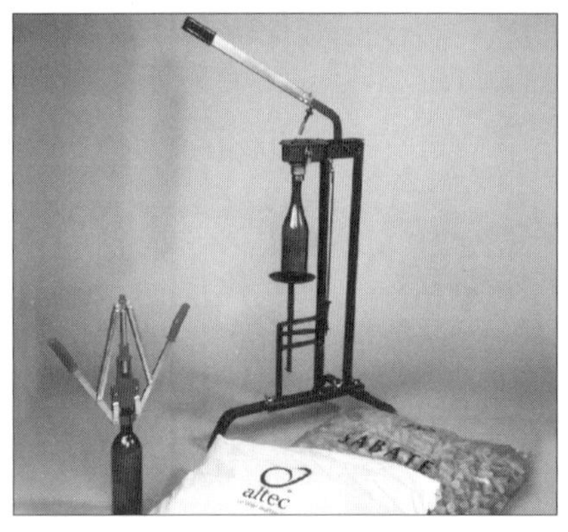

La bouchonneuse.

À cause de son incontestable utilité, plusieurs achètent une bouchonneuse. Son prix est abordable (une cinquantaine de dollars) compte tenu de sa très grande durabilité. Si vous ne voulez pas l'acheter, votre détaillant vous la louera pour un rien (de 2 $ à 4 $ par jour).

Les bouchons de liège

Il existe différentes qualités de bouchons de liège, et on choisira celle qui convient à l'usage qu'on veut faire des bouchons. Par exemple ceux qui produisent du vin « 28 jours » et qui le boivent dans les semaines qui suivent n'ont pas intérêt à acheter des bouchons faits pour durer des années. À ce sujet, consultez votre détaillant : il vous guidera dans votre choix.

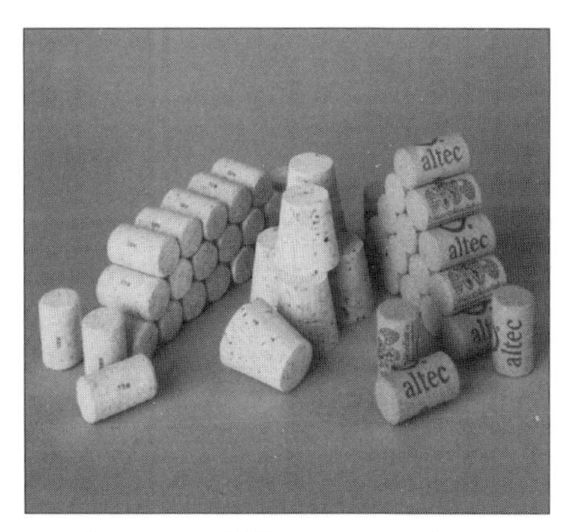

Il existe différentes qualités de bouchons.

Bouteille, capsules, muselet et bouchon de plastique.

Les bouchons de plastique et les muselets

Ceux qui fabriquent du vin pétillant doivent acheter des bouchons de plastique (les bouchons de liège sont trop difficiles à manipuler lors du dégorgement) et prévoir un muselet pour éviter que le bouchon ne saute. On se les procure chez le détaillant.

Les capsules et les étiquettes

Plusieurs amateurs aiment habiller leurs bouteilles de vin. À cet effet, ils peuvent se procurer des capsules en plastique ou en papier métallique (destinées principalement aux vins pétillants). Le détaillant en garde un assortiment de différentes couleurs.

On peut aussi acheter des étiquettes pour décorer et identifier son vin. Ces étiquettes se vendent d'ordinaire en paquets de 30 pour environ 3 $. Elles sont enduites d'une colle légère pour faciliter le décollage après usage. Les modèles sont nombreux et variés.

Les capsules donnent de la classe à la bouteille de vin.

Les étiquettes sont très prisées des vinificateurs amateurs.

D'autres instruments plus coûteux

La pompe à transvaser

Pour ceux qui fabriquent beaucoup de vin, la pompe à transvaser peut devenir une nécessité. Il s'agit tout simplement d'une pompe électrique qui siphonne le vin d'une tourie pour le rejeter dans une autre. Ces pompes électriques sont coûteuses (de 200 $ à 300 $) et ne s'imposent que dans le cas où on

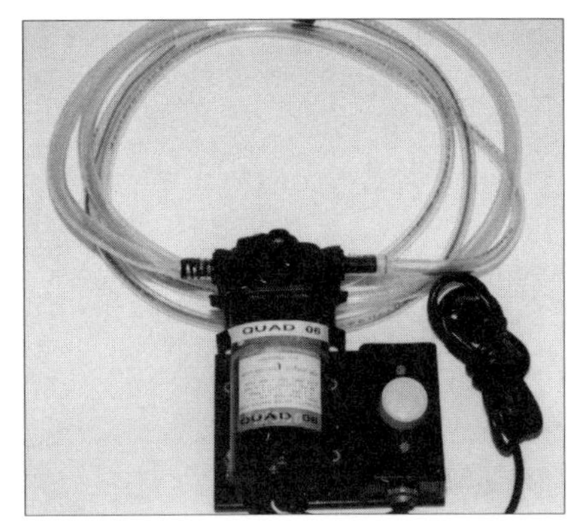

La pompe à transvaser est un appareil coûteux qui s'impose parfois pour ceux qui ont des maux de dos.

produit 500 bouteilles ou plus, ou encore lorsque le vinificateur amateur souffre de problèmes de dos qui l'empêchent de soulever des touries de 20 ou de 23 litres. On peut aussi utiliser ce type de pompe pour filtrer le vin.

Le filtreur à vin

De plus en plus de gens filtrent leur vin tout simplement parce qu'ils en sont fiers et qu'ils veulent comparer le résultat de leur produit avec les vins commerciaux. Ces vins filtrés ont souvent la limpidité des vins qu'on trouve sur le marché.

La plupart des détaillants de moûts prêtent leur équipement à leurs clients réguliers (ou le louent à un prix très modique). Cependant, certains vinificateurs préfèrent disposer de leur propre appareil. De cette façon, ils n'ont pas à devoir placer leur nom sur une liste qui est parfois très longue.

Il y a deux sortes de filtre : à pression et à succion à vide. Depuis peu, on a mis sur le marché des filtres à cartouches qui semblent assez efficaces mais qui ne sont pas encore tout à fait au point. Dans tous les cas, il faut éviter les filtres manuels, qui épuisent le vinificateur amateur. Il faut opter pour les filtres munis d'un compresseur ou d'une pompe.

Les filtres n'ont pas tous la même porosité : on peut faire un premier filtrage grossier, puis un second, avec un filtre plus fin, pour atteindre une limpidité parfaite.

Petit désagrément lié à la filtration : les papiers filtreurs doivent au préalable être nettoyés avec de l'acide chlorhydrique qui sert à leur fabrication. C'est une opération assez longue. Il faut espérer que bientôt on n'ait plus à faire circuler de l'eau

(20 litres/4,4 gallons) à travers le filtre, puis du métabisulfite (1 litre) et enfin de l'eau distillée (4 litres/0,89 gallon) avant de l'utiliser pour filtrer le vin.

Un modèle de filtreur à vin.

Le coût des appareils de filtration n'est pas nécessairement élevé. Certains se détaillent à 50 $, mais la facture totale peut parfois atteindre 400 $ lorsqu'on y ajoute le coût du compresseur ou de la pompe. Nous vous conseillons d'opter pour les plus chers et les meilleurs. Sinon, il vaut mieux continuer à louer le filtreur de votre détaillant.

Si vous envisagez de vous procurer un filtreur à vin, vous avez intérêt à « magasiner » pour choisir le meilleur produit. Nous publierons sous peu un guide des filtreurs à vin. Peut-être serait-il sage d'attendre la sortie du livre. D'autant plus que c'est un secteur en pleine évolution…

Le fouloir à raisin

Par ailleurs, ceux qui font leur vin à partir de raisins doivent se doter (ou louer) deux instruments essentiels (et coûteux). Il s'agit d'un broyeur à raisin appelé fouloir. C'est un grand entonnoir au fond duquel on retrouve deux rouleaux dentés. En actionnant la manivelle située à la base, on écrase les raisins (sans pour autant les compresser) de manière à faire éclater la peau du fruit (ce qui permettra ultérieurement de libérer le jus de la pulpe).

Il y a des fouloirs plus sophistiqués, actionnés à l'électricité qui sont beaucoup plus coûteux que le fouloir conventionnel. Certains sont munis d'un égrappoir.

Un fouloir à raisin.

Le pressoir à raisin.

Le pressoir

Les raisins passés au fouloir pour déchirer leur peau sont ensuite pressés pour que leur jus puisse être libéré. Le pressoir est un baril fait de lattes de bois non jointes et sur le sommet duquel est placé un couvercle qui sert à comprimer le raisin. Ce couvercle est actionné par une longue vis. Chaque tour de tourniquet fait descendre le plateau un peu plus bas. Les raisins sont ainsi écrasés et leur jus s'écoule lentement par la base (mais aussi par les parois). L'opération dure jusqu'à ce que les raisins soient complètement vidés de leur jus.

Là aussi, il y a des instruments plus performants dont les prix sont à l'avenant.

Voilà donc les instruments les plus utilisés pour la vinification maison. Cette liste est relativement complète. Chose certaine, elle donne à l'amateur une bonne idée des instruments et objets dont il a besoin pour la vinification. On pourrait en ajouter d'autres. Des entonnoirs, par exemple (très utiles par moment), ou des tuyaux à plus large diamètre que ceux décrits antérieurement, pour favoriser les débits de l'eau dans les touries, etc.

Chapitre 5

Le choix des moûts

Au chapitre précédent, nous avons fait l'inventaire de l'équipement nécessaire pour fabriquer du vin. Ces achats faits, il faut ensuite se procurer les moûts[1] en fonction de ses besoins. Certains veulent déguster leur vin rapidement. D'autres préfèrent attendre un an avant d'ouvrir leur première bouteille.

Quel que soit votre choix, il est hautement recommandé de s'adresser à un vendeur d'expérience. Ce dernier pourra tout aussi bien vous conseiller un vin qui se boit jeune qu'un mélange complexe qui se bonifiera en vieillissant. Il est essentiel cependant que vous connaissiez les possibilités qui s'offrent à vous, car il y a plusieurs manières de fabriquer du vin.

On trouvera dans ce chapitre une vue d'ensemble des moûts disponibles sur le marché. On notera que nous avons accordé beaucoup d'attention à la question des techniques de concentration des jus. Cela est tout à fait compréhensible puisque la fabrication du vin maison a connu un essor considérable depuis un demi-siècle grâce à la concentration qui permet aux moûts de « voyager » à travers le monde sans qu'ils se détériorent ou qu'il fermentent.

1. Rappelons que nous utilisons le terme « moût » pour désigner un jus qui est destiné à être fermenté.

Les moûts concentrés

Les moûts concentrés ont été les premiers à être offerts sur le marché de la vinification maison (si l'on exclut évidemment les raisins achetés au marché à l'automne), et leur constante popularité a incité les producteurs de moûts concentrés à développer des techniques de plus en plus sophistiquées pour améliorer leur produit et augmenter ainsi leur part du marché.

Un camion-citerne isotherme pour le transport des moûts.

Il faut cependant savoir que la commercialisation des moûts stérilisés et réfrigérés a provoqué un revirement de situation qui laisse prévoir que ces derniers pourraient occuper à l'avenir une bonne part du marché. Une chose est certaine : la possibilité de transporter des moûts réfrigérés dans des camions-citernes isothermes a permis aux moûts réfrigérés et aux moûts stérilisés de connaître un essor considérable depuis une dizaine d'années.

Les techniques de concentration

La concentration des moûts se pratique depuis plus de 100 ans. Cette méthode permet de conserver le moût pendant un temps beaucoup plus long que celui des vendanges. Les moûts ainsi préservés peuvent alors être acheminés vers d'autres pays où ils sont reconstitués avec de l'eau purifiée, puis fermentés pour produire du vin.

Depuis une trentaine d'années, on a tenté de développer des techniques plus sophistiquées dans le but de préserver les qualités inhérentes au moût. Dans ce domaine, les progrès ont été considérables : on est passé de la simple bouilloire sur feu direct à l'appareil à osmose fort complexe.

La concentration par ébullition

La première méthode utilisée pour faire des moûts concentrés a tout simplement consisté à faire bouillir le moût en le portant à sa température d'ébullition. En procédant ainsi, on permettait l'évaporation d'une partie importante de l'eau contenue dans le moût.

Le concentré ainsi obtenu pouvait plus aisément être transporté. En outre, la pasteurisation provoquée par l'ébullition éliminait toute forme de fermentation. Le moût concentré pouvait donc être conservé tel quel et n'être « réactivé » qu'au moment où l'amateur déciderait de le faire.

En procédant de la manière la plus naturelle et la plus simple, on obtint des résultats à l'avenant : la température du liquide étant nécessairement élevée, celle-ci provoquait une certaine « brûlure » (communément appelée « caramélisation »), dont les conséquences furent que les vins faits à partir de moûts concentrés présentaient bien souvent un goût de « brûlé » qui les distinguait des vins fabriqués selon les méthodes traditionnelles. Ce goût de « brûlé » a, de fait, rebuté et fait fuir nombre d'amateurs peu satisfaits des résultats obtenus.

La concentration par vide partiel

Pour minimiser cette caramélisation, les ingénieurs ont mis au point des bouilloires qui fonctionnent sous vide partiel. Le but de cette technique ? Permettre une évaporation à une température plus basse et diminuer de façon notable l'effet de caramélisation. La méthode consiste à projeter le vin sur des parois chauffées afin de provoquer une évaporation plus rapide que par ébullition ordinaire. Ensuite, on libère les vapeurs d'eau en suspension pour ne conserver que le concentré. En dosant bien la pression du vide et la température du moût, on réussit à produire des concentrés (le volume du produit passant de 4,5 litres à 1 litre) dont la caramélisation est beaucoup moins marquée. Cette technique donne des résultats supérieurs à l'ébullition normale. Cependant, il ne faut pas acheter ces produits les yeux fermés, car certains appareils sont beaucoup plus efficaces que d'autres. En fait, les techniques d'évaporation sous vide ont beaucoup évolué depuis leur entrée sur le marché, de sorte que les appareils plus récents ont toutes les chances d'être plus efficaces que les anciens.

La concentration par cryogénisation

La concentration par cryogénisation existe depuis plusieurs années et donne d'excellents résultats. La technique consiste à abaisser la température du moût jusqu'à ce que l'eau contenue dans le moût se transforme en glace, glace que l'on peut ensuite soustraire du moût pour ne garder que le moût concentré. L'idée de procéder à l'envers et de geler le moût au lieu de le chauffer est tout à fait ingénieuse. Elle permet d'éviter la caramélisation et de conserver en prime tout le bouquet du vin. Le problème est que le coût de production est si élevé qu'il se répercute dramatiquement sur le prix de vente au détail. À cause de leur prix trop élevé, on trouve actuellement très peu de concentrés cryogénisés sur le marché.

La concentration par osmose

Une autre technique pour éviter la déperdition et la modification du goût engendrées par la méthode d'ébullition est celle de la concentration par osmose. Cette technique fait tout simplement appel à la pression. Le moût est poussé dans un filtre de très faible porosité qui ne laisse passer que l'eau.

Ce système de concentration par osmose, connu depuis longtemps, est utilisé par exemple pour la concentration de l'eau d'érable. Dans le cas du vin, l'acide que ce dernier contient exige des modifications techniques importantes et extrêmement complexes.

Cependant, les résultats sont tout à fait impressionnants bien que, là aussi, les coûts de production très élevés incitent les producteurs à faire preuve de prudence et à attendre que ceux-ci baissent. En fait, seule une compagnie australienne a développé cette technique en produisant des vins de cépages (chardonnay, cabernet-sauvignon, riesling) sur lesquels la clientèle japonaise s'est littéralement jetée, accaparant toute la production disponible.

C'est dommage, car les concentrés produits par osmose ne perdent pratiquement rien de leur qualité initiale, bien que certaines précautions soient nécessaires pour conserver l'équilibre du milieu et la non-prolifération des bactéries. Cette méthode semble la plus prometteuse, surtout si on réussit à rendre le procédé moins onéreux. À ce jour, quelques rares détaillants ont réussi à se procurer des concentrés produits par osmose.

Il est à souhaiter que d'autres producteurs se lanceront prochainement dans la production de moûts concentrés par osmose.

Le marché des moûts concentrés

Il existe sur la marché une très grande variété de moûts concentrés. Comme il a été dit plus haut, les moûts concentrés sont pour la plupart élaborés par méthode d'évaporation selon des techniques qui varient beaucoup d'une compagnie à l'autre. Comment vous y retrouver ? En faisant confiance à votre détaillant et, aussi, en procédant par essais et erreurs.

Dans tous les cas, vous avez intérêt à lire très attentivement les informations qui apparaissent sur le produit. Cela vous permettra de vous faire une idée plus juste de la valeur du produit que vous voulez acheter.

Les concentrés en format de trois litres

Le format de trois litres a été longtemps considéré comme le format de base et a sans contredit été le plus populaire. Il s'agit de trois litres de moût dont la concentration a été réalisée dans une proportion de 4 1/2 pour 1. Habituellement le moût concentré est emballé directement par le fabricant dans le pays producteur. En concentration normale, trois litres de concentré permettent de fabriquer de 19 à 23 litres de vin[2]. Si vous ajoutez moins d'eau que les quantités prescrites, votre vin sera trop corsé et trop tannique ; si vous allez au delà de 23 litres, votre vin sera trop léger et fade.

Il est important de savoir que ce concentré (livré dans une boîte de métal ou dans un sac format « vinier ») n'est pas équilibré en acides et en sucre et qu'il vous appartient de faire cette opération vous-même. Vous devez aussi vous procurer les sachets d'additifs nécessaires (clarifiant, stabilisant, etc.), de même que le sucre (environ deux kilos) pour produire un vin dont le taux d'alcool sera d'environ 12 %. En général, on vous donne avec le concentré toutes les informations nécessaires pour produire votre vin.

Les moûts concentrés en format de trois litres ont été les premiers disponibles sur le marché. Même s'ils demandent un peu plus de travail et que la marge d'erreur possible est plus grande, les vins élaborés à partir de ce produit ne cesseront d'étonner. Le vinificateur expérimenté l'utilisera avec confiance et pourra même faire ses propres mélanges.

2. On notera qu'on ajoute plus d'eau que la quantité qui a été soutirée au moût. On a constaté que si on en mettait dans les mêmes proportions, le vin qui en résultait était trop corsé et trop tannique.

Le kit en format de trois litres

La différence entre le format de trois litres et le kit est que ce dernier offre à l'amateur, dans un seul emballage, tous les éléments dont il a besoin pour produire du vin, c'est-à-dire, en général :

a) du moût concentré ;

b) un sachet qui contient les acides et le tannin pour balancer le moût ;

c) de la levure ;

d) un ou deux clarifiants ;

e) un stabilisant.

L'amateur n'a donc pas à se préoccuper de l'acidité du vin (le pH) puisque le concentré est déjà équilibré. En fait, outre les instruments nécessaires à la vinification, présentés au chapitre précédent, il n'a qu'à ajouter de l'eau purifiée au moût concentré et du sucre dans les proportions prescrites.

À cause de son côté pratique et du fait que le moût concentré est équilibré, ce produit a progressivement détrôné le concentré vendu seul.

Là aussi, les résultats sont parfois étonnants et donnent bien souvent entière satisfaction aux amateurs qui l'achètent avec confiance.

Le kit en format de 5 ou de 5,5 litres

Il s'agit d'un moût dont la concentration est moindre. Déjà équilibré en sucre et en tannin, ce concentré est emballé dans un sac de plastique. Les additifs usuels, tels la levure, le clarifiant et le stabilisant, sont aussi fournis avec un mode d'emploi. Présentés dans des formats de 5 litres ou de 5,5 litres, ces concentrés produisent 23 litres de vin. On peut choisir parmi une grande variété de cépages, comme le cabernet-sauvignon, le chenin blanc, ou de types de vin, comme le bourgogne, le chianti, le valpolicella, etc.

Les formats de 5 ou de 5,5 litres sont de plus en plus prisés.

Faire un vin à l'aide de ces produits devient une opération réellement facile car il ne reste qu'à ajouter de l'eau purifiée et à suivre les étapes de fabrication qui sont très clairement décrites sur les feuillets d'instruction. La qualité de chaque produit se reflète dans son prix de vente, qui varie énormément d'une marque à l'autre, d'un type à l'autre. Certains sont offerts réfrigérés et doivent être vinifiés dès leur sortie du réfrigérateur, d'autres se gardent très bien à la température ambiante pendant plusieurs mois.

Les résultats sont parfois remarquables. La qualité de ces vins — surtout s'ils ont été préparés avec soin et vieillis à point — est très souvent supérieure aux vins sans appellation achetés chez le dépanneur.

Pour se constituer une réserve de vin, le vinificateur amateur trouvera là, un produit facile à faire, fiable et très populaire. Plusieurs types de vin peuvent se boire presque tout de suite après la mise en bouteilles, mais tous vont s'améliorer en vieillissant quelques mois et se conserveront pendant environ trois ans, en fonction bien sûr de la façon dont on a embouteillé le vin, des bouchons utilisés et de la température à laquelle le vin est entreposé.

Les semi-concentrés

Le terme « semi-concentré » désigne un moût concentré auquel on a ajouté du moût stérilisé. Les semi-concentrés, vendus en sacs de plastique, sont assez récents sur le marché et connaissent beaucoup de succès.

La recette est simple : du moût pur stérilisé est ajouté au concentré afin de rehausser le bouquet du vin qui sera produit. Cette quantité de moût varie d'un manufacturier à l'autre et reste un secret jalousement gardé. Dépendant de cette quantité, peu ou pas de sucre sera ajouté au mélange. Les semi-concentrés sont offerts en formats de 8 litres et de 15 litres avec additifs. Le vinificateur amateur aura simplement besoin d'ajouter 15 litres ou 8 litres d'eau purifiée pour produire 23 litres de vin.

La présentation du produit varie d'un fabricant à l'autre. Par exemple, Mosti Mondiale, le pionnier dans ce domaine, l'a d'abord offert dans une boîte de carton triangulaire pour ensuite utiliser un contenant de plastique.

Les semi-concentrés sont très faciles à vinifier. L'amateur n'a qu'à ajouter un peu d'eau purifiée. Les instructions fournies avec les additifs sont très simples et demandent des efforts minimes et peu de temps.

Le format de 15 litres donne des vins plus complexes que le format de 8 litres. Plusieurs peuvent se boire aussitôt après leur embouteillage et tous vieillissent bien. Grâce à l'addition de moût de raisin pur, certains développeront un bouquet et un goût remarquables après un an en bouteilles. On peut espérer une durée de vie de deux à quatre ans si le vin est conservé dans une cave à vin.

Là aussi le prix est déterminant : plus vous payez cher, plus vous avez de chances d'obtenir un produit de qualité

Les semi-concentrés en formats de 8 et de 15 litres avec additifs connaissent un succès de plus en plus grand.

supérieure. Pour faire le meilleur choix, fiez-vous à votre détaillant. Il faut le dire : les semi-concentrés sont en général supérieurs en goût et en qualité aux concentrés purs, dépendant évidemment du fabricant et de sa compétence.

Les moûts stérilisés

Encore plus nouveaux sur le marché et développés par Mosti Mondiale, les moûts stérilisés sont appelés à connaître un succès de plus en plus en grand. Offerts en format de 23 litres, ces moûts se vendent relativement chers si on les compare aux moûts concentrés, mais ils sont en général de qualité supérieure.

L'avantage du moût stérilisé est qu'il est disponible en tout temps. En outre, il s'agit d'un moût naturel intégral, c'est-à-dire d'un moût auquel on n'a rien ajouté : il a simplement été stéri-

Les moûts stérilisés donnent des résultats parfois spectaculaires.

lisé et équilibré avec des produits qu'on retrouve naturellement dans le vin comme l'acide tartrique, le tannin ou du moût teinturier pour corriger la couleur.

En général, les amateurs de moûts stérilisés sont disposés à dépenser un peu plus pour obtenir forcément plus sans pour autant avoir à maîtriser la fermentation malolactique, ce qui est le cas pour la fabrication de vin fait à partir de moûts frais réfrigérés ou de raisins achetés au marché. L'amateur de moûts stérilisés vise donc une qualité supérieure disponible dans des délais « raisonnables », car le vin qui en résulte peut se boire plus jeune que celui fait à partir de moûts frais réfrigérés ou que le vin fabriqué à partir de raisins broyés.

Les résultats sont très satisfaisants, parfois même spectaculaires !

Les moûts frais réfrigérés

Disponibles en format de 20 litres ou de 23 litres, les moûts frais réfrigérés sont en train de modifier radicalement l'industrie du vin domestique. Ils sont apparus sur le marché il y a une dizaine d'années. Il s'agit de moûts frais à 100 % qu'on a équilibrés. Ils sont donc fin prêts pour la fermentation.

Maintenus à leur point de congélation, ces moûts fermentent dès qu'on élève leur température (ils contiennent des levures). Avantage marqué sur les raisins achetés au marché : ces moûts ne nécessitent pas un appareillage coûteux ni un travail de foulage et de pressage. Ils ne contiennent aucun résidu de raisin.

Les moûts frais réfrigérés ne sont pas stérilisés. Ils sont donc susceptibles de subir une fermentation malo-lactique. Il faut savoir maîtriser ce genre de fermentation si on ne veut pas voir les bouchons des bouteilles sauter en cours de vieillissement ! On trouvera toutes les explications sur la fermentation malo-lactique au chapitre 2 et au chapitre 6.

Les moûts réfrigérés : le nec plus ultra des moûts !

Les moûts frais réfrigérés sont disponibles surtout à l'automne, mais on peut s'en procurer pendant toute l'année dépendant de l'offre et de la demande. Certains cépages se vendent très rapidement ; d'autres restent plus longtemps sur le marché.

Même s'ils exigent un peu plus d'attention, ces moûts donnent des vins de qualité souvent exceptionnelle (certaines années sont meilleures que d'autres, il va de soi). Plusieurs amateurs avertis ne jurent que par ces moûts, dont ils tirent une totale satisfaction.

Autre avantage appréciable : compte tenu qu'ils n'ont pas à être stérilisés, les moûts frais réfrigérés se vendent en général un peu moins cher que les moûts stérilisés.

Les moûts tirés de raisins

La fabrication de vin à partir de raisins demeure populaire, particulièrement dans les communautés italienne, espagnole, portugaise et grecque. Fabriquer son vin selon les règles de l'art demande du savoir-faire, beaucoup d'équipement et de bons raisins matures. L'amateur qui ne sait pas faire la distinction entre les multiples espèces de raisins risque d'amères déceptions. Pour dire les choses sans détour, nous vous suggérons d'acquérir de l'expérience avant de vous lancer dans ce type de vinification, car même les habitués connaissent parfois des déboires coûteux.

Au chapitre 6, l'amateur pourra en apprendre plus sur l'art de vinifier les moûts faits à partir de raisins frais.

Le coupage des moûts

La qualité d'un moût dépend en très grande partie des raisins qui ont servi à son élaboration. On imagine aisément que les producteurs de moûts concentrés, stérilisés ou réfrigérés tentent de mettre sur le marché les meilleurs moûts possibles pour satisfaire une clientèle de plus en plus exigeante.

Il va de soi que tous les producteurs seraient enchantés de pouvoir offrir à leur clientèle les meilleurs bourgognes ou les plus prestigieux bordeaux à des prix défiant toute concurrence. Or, s'il est des raisins qui sont difficiles à obtenir, ce sont bien les raisins français. À cause des lois sur les quotas, lois créées pour protéger les viticulteurs français, les fabricants de moûts n'ont jamais le premier choix. Par exemple, si les viticulteurs français disposent de raisins excédentaires, ceux-ci seront tous envoyés à la coopérative, et les différents cépages seront mêlés. Le producteur de moûts devra donc acheter des récoltes « génériques », c'est-à-dire des récoltes constituées de plusieurs cépages, précisément pour éviter l'utilisation des grands noms des vignobles français.

Dans les autres pays, les lois sont moins strictes. Les producteurs de moûts peuvent donc acheter les grands cépages classiques. Ils ne s'en privent pas, du reste. Voilà pourquoi sont apparus sur le marché du vin maison de plus en plus de moûts faits de cépages uniques offerts aux vinificateurs amateurs.

Si ce choix existe, il est loin d'être la norme. En fait, le producteur de moûts se retrouve le plus souvent avec une quantité importante de raisins génériques achetés en vrac sur les divers marchés mondiaux. Il doit tirer le meilleur parti et produire des moûts de la plus grande qualité qui soit. Pour pallier la neutralité de certains moûts et créer des types de vin, les experts œnologues recourent souvent à l'usage d'extraits de fruits (pêche, poire, framboise, etc.) ou — ce qui est beaucoup moins noble — à des essences artificielles.

L'expert a donc pour tâche de couper avec des moûts divers certains types de concentrés afin de produire des moûts qui donneront des résultats prévisibles et constants. On dira par exemple que tel moût produira un vin semblable à celui de Bourgogne, qu'un autre ressemblera à un vin d'Alsace. On parlera alors de type, et on pourra lire sur les étiquettes : « type bourgogne », « type bordeaux » pour bien signifier à l'acheteur qu'il vient de se procurer un moût qui ressemble à un vin produit à partir de tel cépage, mais que, dans les faits, il n'en est pas issu, ce moût étant fabriqué à partir de raisins venus d'un peu partout à travers le monde.

Par ailleurs, un certain nombre de moûts sont identifiés comme cépages uniques, par exemple « cabernet-sauvignon », « chardonnay », « riesling ». Cela signifie que le moût en question est constitué en totalité ou en partie du cépage qui apparaît sur le contenant. Le problème est qu'il n'y a pas de législation canadienne ou états-unienne obligeant le producteur à respecter intégralement l'appellation qui apparaît sur l'étiquette. Ainsi un producteur peut très bien indiquer que son moût est un cabernet-sauvignon alors qu'il ne contient que 40 % de ce cépage !

Il y a là un détestable vide juridique que les autorités tardent à combler pour des raisons stratégiques : ils préfèrent laisser l'amateur dans l'incertitude de manière à modérer son engouement pour la vinification maison ! Cela dit, il est admis que la majorité des fabricants de moûts respectent une certaine éthique, ce qui assure le vinificateur amateur de retrouver au moins 50 % du cépage indiqué sur l'emballage. C'est mieux que rien, mais on pourrait faire plus. Il suffirait que le fabricant dise avec clarté le pourcentage du cépage original par rapport aux moûts de coupage. On sait de toutes façons qu'un moût contenant 100 % d'un cépage de qualité est à peu près impossible à trouver sur le marché. C'est du reste un peu normal puisque les vins délimités de qualité supérieure ou les vins d'appellation contrôlée sont eux aussi constitués avec des vins d'assemblage dans des proportions qui avoisinent pour beaucoup d'entre eux 25 %. Les grands crus ne sont-ils pas élaborés avec une portion de vins moins nobles? Par exemple, le plus grand vin de Bordeaux, le premier grand cru classé Château-Lafite-Rothschild, est composé de 70 % de cabernet-sauvignon, de 5 % de cabernet franc, de 20 % de merlot et de 5 % de petit-verdot. Quant au châteauneuf-du-pape, il est élaboré à partir de 13 cépages différents ! L'assemblage [3] est si pratiqué que même l'État de Californie, pourtant puritain à bien des égards, a baissé pavillon. Il accepte dorénavant que les grands vins de Californie (Mondavi, Joe Heitz, Beaulieu, Ridge Vineyards) soient assemblés, à la condition qu'ils contiennent au moins 75 % du cépage qu'indique l'étiquette.

À vrai dire, le coupage est une pratique heureuse : il permet de corriger les défauts inhérents du cépage (manque de tannin ; vin trop astringent, robe trop pâle, etc.). Encore faut-il pratiquer le coupage avec intelligence et soin !

La qualité du vin dépend étroitement du prix des ingrédients. Donc pour offrir des kits à rabais, il faut sacrifier sur la qualité du concentré ou remplacer une partie du concentré par du sucre et du colorant. Dans ce domaine comme dans bien d'autres, il n'y a pas de miracles possibles ; voilà pourquoi nous suggérons à l'amateur de choisir toujours la meilleure qualité. Il vous en coûtera 25 ¢ ou 50 ¢ de plus la bouteille, mais votre satisfaction sera beaucoup plus grande. Dans tous les cas cependant, il faut être prudent. Un exemple ? Certains producteurs de moûts stérilisés offrent à leur clientèle des produits en

3. Le terme « assemblage » s'applique à des vins qui ont été élaborés à partir de cépages tirés du même vignoble alors que le coupage est le fait d'un vin constitué de raisins venus de n'importe quelle partie du monde.

totalité ou en partie trafiqués. En effet, les moûts offerts ne sont pas purs à 100 %, mais composés de moûts concentrés reconstitués. Il faut donc lire attentivement les procédés de fabrication des moûts et s'informer auprès de votre détaillant. Il est ridicule de payer le prix fort pour un moût concentré auquel le producteur a simplement ajouté de l'eau purifiée. Vous pouvez faire vous-même ce travail et ce sera beaucoup moins cher !

Enfin, comme critère de qualité additionnel, il faut considérer l'âge du concentré. Fortement sucrés et acidifiés, les concentrés ont une longueur de vie limitée selon leur température de garde. Il ne sera pas étonnant de retrouver une bonne différence de goût entre un vin fabriqué à partir d'un concentré frais et un autre élaboré à partir d'un concentré qui a séjourné un an ou plus sur les tablettes. Là aussi, il serait hautement souhaitable que le fabricant indique sur le produit concerné la date au delà de laquelle le moût est inapte à la vinification, comme cela se fait pour de plus en plus de produits dans le domaine de l'alimentation.

Pour faire un achat éclairé, on doit se rendre dans les boutiques spécialisées. C'est là que le vinificateur amateur obtiendra le plus d'informations sur chacun des produits. Il est donc de son intérêt de questionner le vendeur et de prendre des notes si nécessaires. Il est conseillé aussi d'éviter les grandes surfaces, qui vendent à rabais des produits au sujet desquels les acheteurs risquent de n'obtenir que des informations vagues et fragmentaires de la part des vendeurs.

Il va de soi que chacun est libre de procéder à sa manière. Comme on l'a dit précédemment, certains recherchent des vins de table qu'ils désirent boire très rapidement. Ceux-là ont le choix entre plusieurs concentrés qui leur donneront satisfaction.

D'autres sont plus patients et préfèrent prendre le temps qu'il faut pour obtenir des vins plus riches et plus complexes. Ceux-là ont intérêt à lorgner du côté des moûts semi-concentrés, stérilisés ou réfrigérés. Ils paieront plus cher, attendront plus longtemps, mais y gagneront au change.

La durée de vie des vins maison

Les vins maison, au même titre que les vins de table vendus dans le commerce, ont une durée de vie beaucoup moins longue que les grands vins.

Cela se comprend : le marché du vin maison est constitué d'une clientèle qui consomme son vin dans des délais relativement courts (trop courts même, les consommateurs ne pouvant résister à la tentation de boire leur vin avant qu'il ait atteint sa maturité !).

Dans ces conditions, on comprend que les producteurs n'ont pas intérêt à augmenter la quantité de tannin dans les moûts, mais au contraire à en atténuer les effets désagréables lorsque le vin est bu très jeune. La conséquence de cette politique est que le vin ne peut pas vieillir aussi longtemps que les grands vins, dont la quantité de tannin est beaucoup plus importante que celle des vins destinés à la consommation courante. Cela est si vrai qu'on ne recommande pas de boire ces grands crus avant 5 ou 10 ans après leur mise en bouteilles. Sinon, ils seront trop astringents, et même désagréables à boire.

Pour votre information, nous avons dressé un tableau qui présente la durée des vins maison en fonction de leur constitution (concentrés, semi-concentrés, moûts stérilisés et moûts frais). On remarquera que les vins faits à partir de moûts concentrés ont une durée de vie moins longue que les vins faits à partir de moûts frais, par exemple. Cela tient à deux facteurs. Le premier concerne le « corps du vin » : les vins faits à partir de moûts concentrés, à cause précisément du phénomène de reconstitution, ont un équilibre des particules moins complexe et une quantité de matières solides plus faible que les vins faits à partir de moûts frais. Par ailleurs, les vins produits à partir de concentrés sont élaborés pour être bus plus jeunes (par exemple, les kits « quatre semaines »). De ce fait, ils contiennent moins d'alcool, qui est un facteur qui favorise le vieillissement du vin. Pour toutes ces raisons, les vins élaborés avec des moûts concentrés ont une vie plus courte (entre 10 mois et trois ans) que les vins faits à partir de moûts stérilisés (entre 12 mois et quatre ans). Quant aux vins produits à partir de moûts frais, leur durée est encore plus longue : elle se situe entre 12-18 mois et cinq ans.

Dans le tableau ci-dessous, nous avons inséré une ligne horizontale qui coupe transversalement les courbes des différents moûts. Cette ligne représente les seuils de dégustation. La première intersection (à gauche) indique le temps minimal qu'il faut attendre avant de boire la première fois son vin, et la deuxième intersection représente le temps limite au delà duquel le vin risque de perdre ses qualités gustatives et de s'avérer même imbuvable.

Comme on peut le visualiser sur le tableau, on peut boire le vin maison dès le deuxième mois après sa fermentation (même s'il vaut mieux attendre trois mois). Cette norme « minimale » concerne tous les vins, à l'exception de ceux produits à partir des moûts frais, qui ne peuvent être bus avant six mois de maturation. Cela étant dit, il est clair que tous les vins maison gagnent à être bus un an après leur fabrication. C'est à cette période (comme l'indique le tableau) que tous atteignent leur plein degré de maturation. Dans le cas des moûts frais et des moûts stérilisés, l'attente peut être prolongée encore plus longtemps, étant donné que les vins continuent de se bonifier pendant deux ans.

À noter : les vins faits à partir de jus frais (réfrigérés) ont une vie plus longue que ceux produits à partir des autres types de moûts. Elle dépasse souvent cinq ans. Certains vins très corsés élaborés à partir de moûts frais (les montepulciano, par exemple) peuvent avoir une garde qui peut se prolonger jusqu'à 10 ans.

Autre remarque importante : le tableau présenté ci-dessous a été élaboré en fonction d'une mise en cave à une température idéale (entre 10 °C et 15 °C/50 °F et 59 °F) et à un taux d'humidité normal. Il faut aussi que le vin soit embouteillé dans de bonnes conditions de sulfitage et avec les

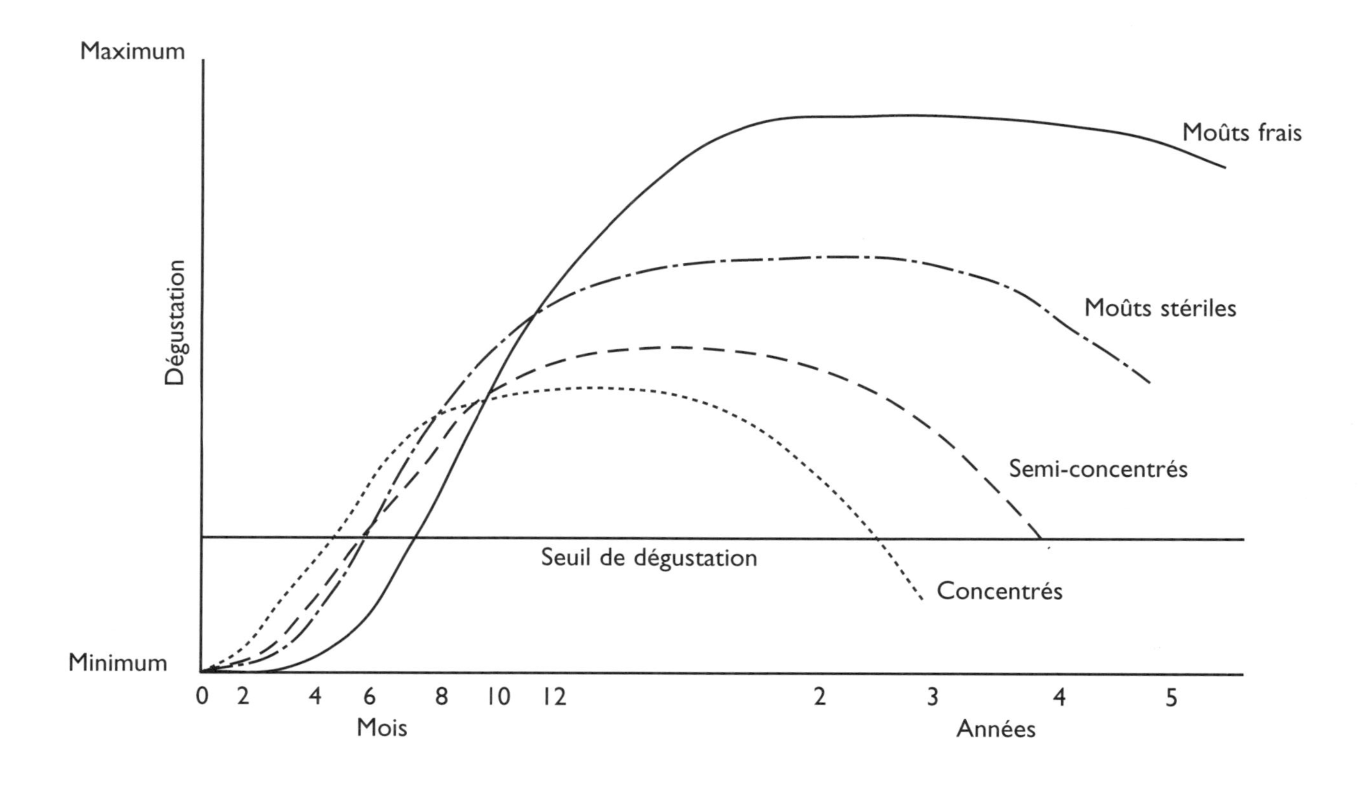

Tableau du vieillissement du vin

bouchons appropriés. Il va de soi que si votre vin est entreposé à la température de la pièce d'un appartement, la durée de vie des vins ainsi entreposés sera sensiblement diminuée, la chaleur activant le vieillissement du vin.

On notera enfin que nous avons indiqué dans le tableau une plage de satisfaction représentée par une ligne droite. Cette plage indique le moment précis où l'amateur devrait commencer à boire son vin.

Chapitre 6

La vinification

a vinification consiste à transformer le jus de raisin en vin. Ce jus destiné à la vinification s'appelle moût. La transformation du moût en vin ne peut se réaliser sans la présence des levures.

N'importe qui peut vinifier son moût à la condition qu'il dispose des instruments, des ingrédients et de l'espace requis et qu'il suive à la lettre les instructions qu'on lui donne pour atteindre les résultats souhaités. L'opération est simple, facile même, pour peu qu'on soit attentif et minutieux. À ce titre (on ne le répétera jamais assez), il faut que les instruments qui servent à la vinification soient toujours propres. Les cuves, bouteilles, tuyaux, cuillères, bondes et autres instruments doivent être lavés et aseptisés puis rincés, car il faut à tout prix éviter la prolifération des bactéries nocives pour le vin.

Nous vous conseillons aussi fortement d'utiliser un fichier de vinification. Si vous ne savez pas comment le fabriquer, demandez des fiches de vinification à votre détaillant. Cette précaution est très utile, car elle vous permettra de retrouver des données parfois essentielles au cours du processus de fermentation. Il faut non seulement connaître la densité initiale du moût, mais savoir quand il a été mis en tourie et, par exemple, à quel moment on a utilisé un clarifiant ou un stabilisant. On peut même noter les résultats de dégustation. Ces fiches constituent un document précieux sur votre propre

Type: ____________ Num. de lot: ____________ Date d'achat: ____________

☐ Concentré ☐ Semi-concentré ☐ Jus stérile ☐ Moût frais

☐ Autre: ____________

Quantité de base: ________ Litres Eau: ________ Litres Rendement: ________ Litres

FERMENTATION (additions & progression):

Sucre: ________ Nourriture de levure: ________ Bentonite: ________

Mélange d'acide: ________ Tanin/Chêne: ________ Autre(s): ________

Levure: ________ Date ajoutée au moût: ________

D.S. de départ: ________ Température du moût: ________

Date:	D.S.:	T°	Commentaires:
( )			
( )			
( )			
( )			
( )			
( )			

(S): SOUTIRAGE

Tps de repos (en tourie): Du: ________ Au: ________

FINITION: (date/quant.)

Chêne final: ________ Stabilisant: ________ Clarifiant: ________

Édulcorant: ________ Autre(s): ________

FILTRATION: Date: ________ Filtre #: ________

EMBOUTEILLAGE: Date: ________ Liège #: ________ # de bouteilles: ________

GRAPHE DE FERMENTATION:

DENSITÉ SPÉCIFIQUE

1100
1090
1080
1070
1060
1050
1040
1030
1020
1010
1000
990

TEMPÉRATURE

30 MAX.
25
20
15

JOUR 1 2 3 4 5 6 7 8 9 10 11 12 13 14 15

● : D.S.
■ : TEMP.

NOTES, APPRÉCIATION & COMMENTAIRES:

L'ÉTAMPE DE VOTRE SPÉCIALISTE VIN MAISON À L'ARRIÈRE

Une fiche de vinification.

histoire en tant que vinificateur amateur. Vous les relirez plus tard avec plaisir, peut-être même en esquissant de petits sourires…

La fermentation : une opération très complexe

C'est parce qu'on maîtrise de nos jours le processus de fermentation que la vinification est devenue une opération relativement aisée. Il faut savoir cependant que la fermentation est une transformation chimique d'une incroyable complexité. La décrire dans tous ses détails nécessiterait des connaissances avancées en biochimie : les traités scientifiques sur la vinification et la fermentation sont destinés à une clientèle restreinte et avertie.

Il faut savoir aussi que chaque vinification est unique. Contrairement à l'artisan qui maîtrise d'emblée le matériau sur lequel il se penche (le souffleur de verre, par exemple, connaît d'avance et avec certitude le moment où il pourra souffler son verre et sait comment lui faire prendre telle ou telle forme), le vinificateur ne peut que s'en remettre à dame Nature qui, elle, décide de la composition finale du raisin. Le soleil, la pluie, le froid, la chaleur, le sol, les parasites, le cépage (son âge, le lieu où il a été planté, la manière dont il a été taillé, etc.), tout cela fait en sorte que le viticulteur ne peut jamais prévoir sans risque d'erreur la composition finale de son raisin et déterminer à quoi ressemblera précisément son vin, une fois le moût transformé. Cela est d'autant plus évident que la chromatographie au gaz a permis de détecter au delà de 250 composants présents dans le vin. Toute modification de ces composants (quantité, qualité, proportion, etc.) entraîne des modifications plus ou moins perceptibles du vin.

Pire encore : même si les chercheurs maîtrisent de mieux en mieux la science du développement des levures, il n'en reste pas moins que le vinificateur doit s'en remettre à leur action et souhaiter que le processus de fermentation se déroule de la façon la plus heureuse qui soit. En somme, l'artisan vinificateur peut tout mettre en œuvre pour arriver aux meilleurs résultats... et pourtant échouer en bout de piste, parce qu'il n'est pas totalement maître du processus de la vinification.

Bien sûr, un Château Petrus restera toujours un Château Petrus, mais sa composition, son arôme, sa richesse, sa profondeur ne seront jamais les mêmes d'une année à l'autre, avec pour résultat que son prix pourra parfois faire des bonds prodigieux ou connaître des chutes marquées. Il y a donc de grands millésimes ou de mauvais millésimes, que cela plaise ou non à ceux qui se dépensent sans compter pour que le château en question soit à son meilleur. La raison des ces fluctuations est que le raisin est un organisme vivant inconstant. Il charme et déçoit avec une indifférence qui fait damner ceux qui le dorlotent sans arrêt et qui ne vivent que pour lui. « L'amour est enfant de bohème », dit l'air connu. Le raisin aussi !

La préparation d'une amorce de levures

Pour lancer la fermentation d'un moût, il est nécessaire de l'ensemencer de levures. On peut le faire en utilisant simplement une enveloppe de levures. On peut aussi, dans le cas où on veut lancer la fermentation de plusieurs touries, préparer soi-même une grande quantité de levures qui serviront d'amorce au moût. Cette amorce s'appelle dans le jargon du métier « pied de cuve », et elle est d'ordinaire surveillée avec soin, car toute erreur peut entraîner des retards et des inquiétudes.

La préparation d'une amorce est particulièrement utile pour les vinificateurs amateurs qui fabriquent leur vin à l'automne, au moment où arrivent sur le marché les raisins et les moûts réfrigérés venus de Californie, d'Italie, d'Espagne ou d'autres pays producteurs de raisins.

- Pour préparer une amorce, il suffit d'un litre et quart (40 oz) de moût maintenu à la température de la pièce. Qu'il s'agisse de moût fait à partir de concentré ou de moût frais ou stérilisé, dans les deux cas, il est recommandé d'ajouter de l'eau purifiée [1] pour abaisser la densité. Celle-ci devra se situer entre 1,060 et 1,070. Pour éviter toute contamination, il est suggéré de faire chauffer le moût à 70 °C (158 °F) pendant 20 minutes.

- Une fois cette densité obtenue, on procède selon les instructions inscrites sur l'enveloppe de levures : on dilue les levures dans 60 ml (2 oz) d'eau tiède (c'est-à-dire à 40 °C ou 104 °F) et on garde la mixture à la température de la pièce pendant 15 minutes ; puis on brasse le tout et on verse le produit dans un contenant de verre (ou de plastique) suffisamment grand pour les besoins de l'amorce, et qui aura été préalablement stérilisé.
- On ajoute 125 ml (4 oz) de moût. On place une bonde sur le récipient. On maintient l'amorce à une température idéale de 23 °C (73 °F). S'il est difficile de la conserver à cette température, on peut la garder à une température légèrement plus basse, c'est-à-dire à la température d'une pièce normalement chauffée (de 20 °C à 22 °C ou de 68 °F à 72 °F). Dans le cas où les levures seraient placées à la température de la pièce, le temps d'attente sera peut-être prolongé d'une demi-heure par rapport au processus normal.
- On attend entre une heure et deux heures, dépendant de l'activité des levures (dans le cas d'une forte activité, la bonde hydraulique sera fréquemment sollicitée). Il ne faut pas dépasser ce temps, car les levures risquent de mourir faute de nourriture.
- On ajoute ensuite 250 ml (8 oz) de moût à la préparation.
- On replace la bonde hydraulique et on attend encore une heure ou deux. Si l'action des levures est plutôt lente, on ajoute alors un quart de cuillerée à thé (1,4 g)

1. On entend par eau purifiée de l'eau distillée, de l'eau de source ou de l'eau du robinet bouillie et refroidie.

de nourriture à levures (qu'on se procure chez le détaillant).

- Une fois ces opérations terminées, on ajoute 500 ml (16 oz) de moût à la préparation. On procède de la même manière que pour les opérations précédentes et on laisse le même temps de repos.
- Finalement, on ajoute ce qui reste du moût et on attend encore deux heures.

L'amorce ainsi obtenue est extrêmement active et peut fermenter 200 litres de moût, c'est-à-dire 10 touries de moût dans chacune desquelles on versera 125 ml (4 oz) d'amorce de levures.

Préparer une amorce est non seulement avantageux sur le plan économique (il suffit d'un sachet pour lancer la fermentation de 10 touries), mais c'est aussi plus efficace dans la mesure où cette amorce permettra une fermentation beaucoup plus rapide que si on pratique la méthode usuelle.

L'amorce de relance

Comme on le verra plus loin dans ce chapitre, il arrive parfois que la fermentation cesse en cours de route. Il peut y avoir plusieurs causes à cela, mais bien souvent l'arrêt de la fermentation est dû au fait que le vinificateur amateur a attendu trop longtemps avant de procéder à la mise en tourie ou encore qu'il a placé la tourie dans une pièce trop froide. Ainsi, s'il y a arrêt de fermentation et si la densité a atteint un plateau inférieur à 1,015, il est fort probable que vous ne pourrez pas relancer la fermentation en utilisant de nouveaux sachets de levures. La quantité d'alcool alors contenue dans le moût est trop importante pour permettre la prolifération spontanée d'une culture de levures.

Ce qu'il faut faire alors, c'est élever la température de la pièce et produire des levures acclimatées à un haut taux d'alcool. Notez que si on a dilué de la bentonite dans la tourie (ou la cuve), il faudra faire un soutirage pour se débarrasser de la bentonite avant de commencer l'opération, sous l'action de la bentonite, les levures se déposeront au fond de la tourie, et cela diminuera considérablement leur efficacité.

- La méthode de préparation d'une amorce de ce genre, est semblable à celle qu'on a expliquée plus haut. Dans ce cas-ci cependant, un demi-litre (16 oz) est suffisant pour relancer 23 litres en tourie. On se procure donc du moût ou du concentré (il est toujours utile de garder du moût ou du concentré dans le congélateur pour l'utiliser à des fins semblables). Qu'il s'agisse de concentré ou de moût frais ou stérilisé, il est recommandé d'ajouter de l'eau purifiée pour en abaisser la densité. Celle-ci devra se situer entre 1,060 et 1,070. Pour éviter toute contamination, il est suggéré de faire chauffer le moût à 70 °C (158 °F) pendant 20 minutes.
- Une fois cette densité atteinte, on procède à l'ensemencement des levures. Dans le cas de ce genre de relance, il faut utiliser une levure qui résiste mieux à l'alcool que les levures courantes. Les levures à champagne EC-1118 (*Saccharomyces bayanus*) sont les plus appropriées, compte tenu qu'elles ont précisément été développées pour supporter un haut taux d'alcool.
- On procède donc comme on l'a fait pour l'amorce normale. On suit les instructions inscrites sur l'enveloppe de levures : on dilue les levures dans 60 ml (2 oz) d'eau tiède (c'est-à-dire à 40 °C ou 104 °F) et on laisse le mélange à la température de la pièce pendant 15 minutes ; puis on brasse le tout et on verse le produit dans un contenant de verre (ou de plastique) suffisamment grand pour les besoins de l'amorce, et qui aura été préalablement stérilisé.
- Une fois cette opération complétée, on ajoute 125 ml (4 oz) de moût et un quart de cuillerée à thé (1,4 g) de nourriture à levures.
- On place une bonde sur le récipient. On maintient l'amorce à une température idéale de 23 °C (73 °F). S'il est difficile de conserver l'amorce à cette température,

on peut la garder à une température légèrement plus basse, c'est-à-dire à la température d'une pièce normalement chauffée (de 20° C à 22 °C ou de 68 °F à 72 °F). Dans le cas où la levure est placée à la température de la pièce, le temps d'attente sera peut-être prolongé d'une demi-heure par rapport au processus normal.

- On attend entre une heure et deux heures, dépendant de l'activité des levures (dans le cas d'une forte activité, la bonde hydraulique sera fréquemment sollicitée). Il ne faut pas dépasser le temps prescrit, car les levures risquent de mourir faute de nourriture.
- On ajoute ensuite 125 ml (4 oz) de moût à la préparation.
- On replace la bonde hydraulique et on attend encore une heure ou deux.
- Une fois ces opérations terminées, on ajoute ce qui reste du moût à la préparation.
- On laisse fermenter ce mélange jusqu'à ce qu'il atteigne la même densité que celle du moût dont la fermentation s'était arrêtée. Cette opération est importante, car elle évitera aux levures de subir le choc d'un excès d'alcool lorsque celles-ci seront mêlées au moût dans la tourie.
- Autre précaution importante à prendre : il faut faire en sorte que l'amorce et le moût soient à la même température, de manière à ce que l'ensemencement de levures dans la tourie se fasse sans heurt et sans perte. Si le moût n'a pas encore été mis en tourie, on peut placer le récipient contenant l'amorce (la paroi extérieure du contenant aura été stérilisée bien entendu) dans la cuve. Si le moût est en tourie, l'opération est plus complexe. L'idéal est que les deux récipients soient déjà dans la même pièce (et soient à la bonne température). On peut aussi utiliser une ceinture chauffante pour élever la température du récipient dont la température est la plus basse.
- Enfin, il faut verser l'amorce délicatement dans la tourie sans brasser. On attend une demi-heure, une heure même, puis on mélange très légèrement.

Si l'opération est bien menée, il y a toutes les chances que la fermentation du moût soit réactivée jusqu'à ce que le moût atteigne la densité désirée. Ainsi, vous aurez sauvé 20 ou 23 litres de vin qu'autrement vous auriez perdu !

La vinification des moûts préparés à partir de concentrés

Comme on l'a dit au chapitre précédent, les concentrés ont été les premiers types de moûts à être mis sur le marché. Ces concentrés ont ceci de particulier qu'un certain nombre d'entre eux exigent d'être équilibrés par le vinificateur ; de plus, dans tous les cas, il faut se munir de tous les ingrédients nécessaires à la reconstitution du moût : eau, sucre, clarifiant, stabilisant, etc.

Beaucoup d'amateurs persistent à faire leur vin de cette manière et ne s'en trouvent pas plus mal. En général, ils ont trouvé les concentrés qui leur conviennent et leur restent fidèles. Dans les faits, certains produisent des vins d'une qualité étonnante.

Voici une recette typique de vin produit à partir de concentré : c'est un vin moyennement corsé de bonne qualité et dont le durée de maturation sera de trois à quatre mois. Pour des raisons évidentes, nous vous laissons le choix du concentré.

Ingrédients

- Un moût concentré en format de 3 litres ou de 4 litres qui produira 19 litres de vin ;
- 1,8 kilo de dextrose (sucre destiné à la fermentation) ;
- un sachet d'additifs (contenant le tannin, les acides, la nourriture à levures). S'il n'est pas fourni avec le concentré, il faut vous munir d'une trousse de vérification des acides et faire vous-même les ajustements ;
- un sachet de levures ;

- un sachet de baies de sureau (6 onces / 150 grammes) pour ajuster la couleur du vin rouge ;
- 15 litres d'eau distillée ou d'eau de source (l'eau du robinet est à déconseiller, car elle contient trop de chlore et peut donner un mauvais goût au vin) ;
- un sachet de stabilisants ;
- un sachet de métabisulfite ;
- du clarifiant ;
- des cristaux métatartriques (facultatif) ;
- des copeaux de chêne ou de l'essence de chêne (facultatif).

Vinification des concentrés

- Si votre cuve primaire ne dispose pas d'une échelle de mesures pour indiquer la quantité de litres qu'elle contient, utilisez votre tourie comme guide de mesure en la remplissant et en versant le contenu dans la cuve primaire. Marquez le niveau au moyen d'un marqueur gras.
- Vérifiez la couleur et goûtez le concentré (il doit avoir un goût agréable tout en étant très sucré). S'il a un goût douteux, apportez un échantillon chez votre détaillant pour fins d'analyse.
- Versez le concentré et cinq litres (1,1 gallon) d'eau chaude dans une cuve primaire préalablement lavée, aseptisée et rincée à l'eau. Il faut toujours utiliser de l'eau distillée ou de l'eau de source, car l'eau du robinet contient trop de chlore et pourrait donner un mauvais goût au vin.
- Ajoutez le dextrose et le sachet d'additifs.
- Dans le cas des vins rouges, mettez les baies de sureau dans un sac de coton à fromage ou de nylon et plongez-les dans la cuve.
- Brassez le tout et assurez-vous que le dextrose s'est parfaitement incorporé au moût.

- Ajoutez de l'eau jusqu'à la marque indiquée sur votre cuve primaire, en prenant soin de vérifier la température du moût, laquelle doit se situer entre 20 °C et 30 °C (68 °F et 86 °F).
- Faites une lecture du taux d'acidité et du pH si vous disposez des instruments nécessaires[2] ; notez les résultats et ajustez si nécessaire.
- Faites une lecture de la densité à l'aide d'un densimètre (appelé aussi hydromètre) ; notez le résultat et ajustez si nécessaire ; la densité devrait se situer entre 1,080 et 1,090 (si on veut obtenir un taux d'alcool oscillant entre 11 % et 12 %) ; notez qu'il est essentiel d'aseptiser le densimètre et le cylindre (en les vaporisant avec du métabisulfite puis en les rinçant à l'eau purifiée) avant chaque lecture ; rincez après usage.
- Ajoutez les levures dès que la température se situe entre 20 °C et 30 °C (68 ° F et 86 °F). Il est fortement conseillé de les préparer tel qu'indiqué sur le sachet.
- Couvrez la cuve primaire d'une feuille de plastique (ou du couvercle, dépendant du type de cuve utilisé) en l'entourant soit d'une corde à laquelle un élastique est attaché soit d'un très grand élastique.
- Laissez fermenter dans un endroit tempéré (de 20 °C à 30 °C ou de 68 °F à 86 °F) ; si la pièce est trop froide, chauffez le moût avec une ceinture chauffante (disponible chez votre détaillant).
- Le lendemain, vérifiez que la fermentation a bien démarré ; vous devriez voir de la mousse ou à tout le moins, des bulles remonter et crever constamment à la surface ; s'il n'y a aucune activité visible, consultez votre détaillant pour savoir s'il est nécessaire de relancer la fermentation au moyen d'une amorce[3].

2. Les informations concernant le taux d'acide du moût ou du vin sont données au chapitre 3. Les informations sur la trousse de test se trouvent au chapitre 7.
3. Pour la préparation d'une amorce de relance, voir plus haut.

- Le sixième jour après le début de la fermentation, vérifiez la densité du moût au moyen d'un densimètre (hydromètre). On doit aseptiser le densimètre et le cylindre (en les vaporisant avec du métabisulfite puis en les rinçant à l'eau purifiée) avant chaque lecture ; rincez après usage.
- Si le densimètre indique 1,020 (ou moins), siphonnez le vin dans une tourie secondaire de 19 litres en ayant pris soin au préalable d'égoutter et d'enlever les baies de sureau. Faites un soutirage par étalement en maintenant le tuyau près du goulot de manière à ce que le vin glisse lentement dans la tourie en s'étalant sur la paroi. De cette façon, le moût est beaucoup plus aéré. Il s'oxygène juste assez et libère beaucoup de gaz carbonique, ce qui permet une meilleure relance de la fermentation. Remplissez la tourie jusqu'à 5 cm (2 po) de l'extrémité du goulot, à moins que le moût soit encore trop actif (c'est-à-dire si la mousse est abondante) et qu'il risque de déborder ; dans ce cas, laissez 10 cm (4 po) et comblez la différence le lendemain ou le surlendemain avec du vin. Si vous n'avez pas de vin, utilisez de l'eau distillée ou de l'eau bouillie puis refroidie [4].
- Installez la bonde hydraulique et ajoutez une solution standard [5] de métabisulfite dans le contenant de la bonde jusqu'au niveau indiqué ; remettez le petit bouchon sur la bonde.
- Lavez la cuve primaire et faites égoutter toute l'eau qu'elle contient avant le remisage.
- Trois semaines plus tard, la fermentation devrait être terminée ; vérifiez et notez la densité.

---

4. Il est de beaucoup préférable d'ajouter du vin. Cependant, on juge que l'ajout de 5 % d'eau (1 litre) au moût est acceptable.
5. On entend par « solution standard de métabisulfite » une solution faite à partir de 50 g de métabisulfite de potassium (9 cuillerées à thé rases) dilués dans 4 litres d'eau.

- Faites un deuxième siphonnage et remplissez la tourie, appelée cuve secondaire, jusqu'à 5 cm (2 po) de l'extrémité du goulot ; dans ce cas, évitez de trop aérer : maintenez le tuyau au fond de la tourie plutôt que sur la paroi.

Cuvaison

- Laissez reposer le vin pendant un mois ; le moment venu, vérifiez et notez la densité : elle devrait atteindre 0,995 (ou moins) pour les vins secs et 0,998 pour les vins plus doux. Si la densité est supérieure à 1,000, attendez quelques jours puis, s'il n'y a aucun changement, consultez votre détaillant pour savoir s'il est nécessaire de faire une amorce de relance [6].
- Sentez et goûtez le moût pour vous assurer que la vinification est réussie. Le vin aura alors un goût de vin jeune.
- Ajoutez le clarifiant (l'ichtyocolle) ; le métabisulfite peut être contenu dans cette la même enveloppe.
- Si le métabisulfite n'est pas contenu dans les sachets, ajoutez un quart de cuillerée à thé (1,4 g) de métabisulfite préalablement dissous dans de l'eau.
- Ajoutez le stabilisant dissous dans 60 ml (2 oz) d'eau (le métabisulfite peut être contenu dans la même enveloppe).
- Ajoutez des cristaux métatartriques si la présence des dépôts de tarte vous déplaît vraiment (ces « diamants du vin » ont la grosseur de grains de sel de mer et se déposent au fond de la bouteille). Vous pouvez aussi empêcher qu'ils ne se forment en abaissant la température du moût entre 0 °C et 4 °C (32 °F et 39 °F)

6. Sur la préparation d'une amorce de relance, voir plus haut.

Fermentation primaire

- Versez le concentré dans une cuve primaire.
- Ajoutez les ingrédients du fabricant.
- Ajoutez l'eau et ajustez la température.
- Prenez une lecture de la densité initiale.
- Ajoutez les levures.
- Couvrez d'une feuille de plastique ou d'un couvercle.
- Laissez fermenter à une température de 20-24 °C (68-85 °F).

0 au 6e jour

Fermentation secondaire

- À 1,020 de densité, siphonnez dans une cuve secondaire.
- Remplissez jusqu'à 5 cm (2 po) du goulot.
- Installez la bonde hydraulique et versez-y la solution de métabisulfite jusqu'au niveau indiqué.
- Siphonnez le 21e jour.

7e au 21e jour

Cuvaison

- Laissez reposer 1 mois.
- À 0,995 (vins secs) et 0,998 (vins doux), la fermentation est terminée.
- Ajoutez le stabilisant, les clarifiants, les cristaux métatartriques et autres produits bonifiants.
- Ajoutez du métabisulfite (si nécessaire).

22e au 52e jour (un mois)

Maturation

- Ajoutez des édulcorants (en fonction de vos goûts).
- Attendez 1 mois et filtrez votre vin.
- Embouteillez votre vin.
- Laissez vieillir 3 mois.
- Le vin sera meilleur après 1 an de maturation.

- après 1 mois : filtration ;
- bon à boire après 3 mois ;
- meilleur après 1 an.

Tableau 1. La vinification des concentrés

pendant deux à trois semaines durant la cuvaison. Pour ce faire, certains laissent leur tourie dehors. Cette solution n'est pas à la portée de tous. Elle nécessite aussi des manipulations risquées. Si vous disposez d'un deuxième réfrigérateur au sous-sol, vous pouvez l'utiliser à cet effet.
- Si le cœur vous en dit, vous pouvez donner un goût de chêne à votre vin en utilisant de l'essence de chêne.
- Ajoutez des édulcorants si vous voulez adoucir votre vin.

Embouteillage et vieillissement

- Un mois plus tard, filtrez votre vin ; si vous n'avez pas de système de filtration, vous pouvez en louer un. Cette opération est un peu longue mais elle donne d'excellents résultats. Les vins sont alors parfaitement clairs et agréables à boire. En outre, il faut savoir que les dépôts qui forment la lie peuvent donner un mauvais goût si on garde le vin plusieurs mois en bouteilles sans l'avoir filtré.
- Embouteillez votre vin.
- Laissez-le vieillir au moins trois mois avant de le déguster.
- Le vin sera cependant meilleur après un an de maturation en bouteilles ; le temps de garde est de deux à trois ans, après quoi il commencera à perdre de ses qualités et à décliner.

La vinification des kits « 28 jours »

L'avantage des kits est qu'ils offrent au vinificateur amateur tous les éléments nécessaires à la production du moût « 28 jours ». De cette façon, ce dernier n'oublie rien et sait d'avance que les produits qu'il utilise ont été testés en laboratoire et conviennent parfaitement à son vin. En général, les concentrés de moûts contiennent du sucre inverti. En outre, ils ont un pH équilibré, ce qui signifie pour l'amateur un travail délicat de moins à accomplir.

Les formats varient. On trouve plusieurs formats, les principaux étant des contenants de 5 litres, de 8 litres et de 15 litres. Les différences s'expliquent par le degré de concentration et par la part de moût stérilisé que contient le concentré.

Certains kits offrent des moûts fortement concentrés (dans une proportion de 4,5 pour 1, c'est-à-dire qu'on a réduit quatre litres et demi de moût à un litre de concentré). Dans le cas du format de 15 litres, on a ajouté du moût stérilisé dans des proportions qui varient d'un fabricant à l'autre. Ce sont donc des produits hybrides qui produisent des vins de meilleure qualité que les concentrés purs.

De nos jours, la grande majorité des vinificateurs amateurs qui veulent boire des vins jeunes préfèrent les kits aux concentrés vendus seuls sur le marché.

À noter que la plupart des kits ont été prévus pour des formats de 23 litres. Assurez-vous de disposer de touries de la capacité requise pour mener à terme la vinification.

Ingrédients

- Un moût concentré en format de 5 litres, de 8 litres ou de 15 litres ;
- un sachet de bentonite ;
- un sachet d'additifs (contenant le tannin et les acides) ; dans certains cas, les additifs sont déjà dilués dans le concentré ;
- un sachet de levures ;
- un stabilisant contenant du métabisulfite ;
- un clarifiant (facultatif) ;

- de l'acide métatartrique (facultatif) ;
- des copeaux de chêne ou de l'essence de chêne (facultatif).

Vinification des kits « 28 jours »

- Goûtez le concentré et vérifiez sa couleur. Un bon concentré plaît au goût, mais il est évidemment très sucré. S'il a un goût douteux, apportez un échantillon chez votre détaillant pour fins d'analyse.
- Versez le concentré dans une cuve primaire préalablement lavée, aseptisée et rincée à l'eau.
- Ajoutez le sachet d'additifs et brassez le tout ; assurez-vous que le mélange est uniforme.
- Ajoutez l'eau manquante pour atteindre 23 litres, en prenant soin de vérifier la température du moût : elle doit se situer entre 20 °C et 30 °C (68 °F et 86 °F). On doit utiliser de l'eau distillée ou de l'eau de source. L'eau du robinet est à déconseiller car elle contient trop de chlore et pourrait donner un mauvais goût au vin.
- Dans certains cas, il faut ajouter immédiatement la bentonite alors que, dans d'autres, il faut attendre le sixième jour. Dans les deux cas, il faut veiller à ce que la bentonite soit préalablement diluée avec soin dans de l'eau.
- Ajoutez, s'il y a lieu, des copeaux de chêne. Il faut d'abord les aseptiser en les faisant chauffer au four à une température de 90 °C à 100 °C (de 194 °F à 212 °F) pendant 20 minutes (mais pas plus pour éviter que les copeaux ne s'enflamment !). Les copeaux peuvent être mis dans la cuve primaire ou dans la cuve secondaire. À ce sujet, respectez les instructions données par le fabricant. Il est conseillé de placer les copeaux de chêne dans un sac de coton à fromage ou de nylon. Ajoutez une ou deux billes de verre pour que le sac reste au fond de la cuve. Laissez dans la tourie

pendant deux mois. En ce qui concerne l'essence de chêne, elle est d'ordinaire ajoutée au moment de la filtration du vin.

- Faites une lecture de la densité à l'aide d'un densimètre (appelé aussi hydromètre) ; notez le résultat ; ce dernier devrait se situer entre 1,080 et 1,090 (pour obtenir un taux d'alcool oscillant entre 11 % et 12 %) ; prenez surtout soin d'aseptiser le densimètre et le cylindre (en les vaporisant avec du métabisulfite puis en les rinçant à l'eau purifiée) avant chaque lecture ; rincez après usage.
- Préparez les levures en suivant les instructions sur le sachet.
- Ajouter les levures dès que la température se situe entre 20 °C et 30 °C (68 °F et 86 °F).
- Couvrez la cuve primaire d'une feuille de plastique (ou du couvercle, dépendant du type de cuve utilisé) en l'entourant soit d'une corde à laquelle un élastique est attaché soit d'un grand élastique.
- Laissez fermenter dans un endroit tempéré (entre 20 °C et 30 °C ou 68 °F et 86 °F). Si la pièce est trop froide, chauffez le moût avec une ceinture chauffante (disponible chez votre détaillant).
- Le lendemain assurez-vous que la fermentation a bien démarré ; vous devriez voir de la mousse ou, à tout le moins, des bulles remonter et crever constamment à la surface. S'il n'y a aucune activité visible, consultez votre détaillant pour savoir s'il est nécessaire de relancer la fermentation au moyen d'un amorce [7].
- Le sixième jour après le début de la fermentation (cette période peut aller jusqu'à 10 jours), vérifiez la densité du moût au moyen d'un densimètre (hydromètre) ; si la densité atteint 1,020, préparez une tourie secondaire de 23 litres lavée, aseptisée et rincée à l'eau. N'oubliez pas qu'il est essentiel d'aseptiser le densimètre et le cylindre

7. Sur la préparation d'une amorce, voir plus haut.

(en les vaporisant avec du métabisulfite puis en les rinçant à l'eau purifiée) avant chaque lecture ; rincez après usage.

- Versez dans la cuve de 23 litres la bentonite préalablement diluée avec soin dans de l'eau, si cela n'a pas été déjà fait.
- Siphonnez le vin dans la tourie secondaire. Faites le soutirage par étalement sur la paroi pour aérer le moût. La meilleure façon d'y arriver est de maintenir le tuyau près du goulot de manière à ce que le vin glisse lentement dans la tourie en s'étalant sur la paroi de la tourie secondaire. De cette façon, le moût est beaucoup plus aéré. Il s'oxygène juste assez et libère beaucoup de gaz carbonique, ce qui permet une meilleure relance de la fermentation. Remplissez la tourie jusqu'à 5 cm (2 po) de l'extrémité du goulot, à moins que le moût soit encore trop actif (c'est-à-dire si la mousse est abondante) et qu'il risque de déborder. Dans ce cas, laissez 10 cm (4 po) et comblez la différence le lendemain ou le surlendemain avec du vin. Si vous n'avez pas de vin, utilisez de l'eau distillée ou de l'eau bouillie puis refroidie [8].
- Installez la bonde hydraulique et ajoutez une solution standard [9] de métabisulfite dans le contenant de la bonde jusqu'au niveau indiqué. Remettez le petit bouchon sur la bonde.

Cuvaison

- Le 21e jour, la fermentation devrait être terminée.
- Vérifiez et notez la densité. Si la densité a atteint 0,995 (ou moins) pour les vins secs, et 0,998 pour les vins

8. Il est de beaucoup préférable d'ajouter du vin. Cependant, on juge que l'ajout de 5 % d'eau (1 litre) au moût est acceptable.
9. On entend par « solution standard de métabisulfite » une solution faite à partir de 50 g de métabisulfite de potassium (9 cuillerées à thé rases) dilués dans 4 litres d'eau.

plus doux, ajoutez alors le stabilisant et le clarifiant et laissez en tourie jusqu'au 28e jour.

- Dans le cas où la densité serait supérieure aux normes prescrites, prolongez la fermentation jusqu'à ce que le moût atteigne la densité désirée. Si nécessaire, placez la tourie dans un endroit plus chaud pour activer la fermentation ; n'embouteillez pas le vin avant qu'il ait atteint la bonne densité.
- Si la densité ne baisse pas suffisamment, consultez votre détaillant pour savoir s'il y a lieu de faire une amorce de relance [10].
- Ajoutez des cristaux métatartriques si la présence des dépôts de tarte vous déplaît vraiment (ces « diamants du vin » ont la grosseur de grains de sel de mer et se déposent au fond de la bouteille). Vous pouvez aussi empêcher qu'ils ne se forment en abaissant la température du moût à 0 °C (32 °F) pendant deux à trois semaines après la fermentation. Certains laissent leur tourie dehors (attention au gel !). Cette solution n'est pas à la portée de tous. Elle nécessite aussi des manipulations risquées. Si vous disposez d'un deuxième réfrigérateur dans le sous-sol, vous pouvez l'utiliser à cet effet.
- Le 28e jour, ajoutez des édulcorants si vous voulez adoucir votre vin.

Embouteillage et vieillissement

- Si le vin n'est pas clair, ajoutez le clarifiant et le stabilisant. Laissez reposer durant le temps prescrit.
- Le 35e jour, filtrez votre vin ; si vous n'avez pas de système de filtration, vous pouvez en louer un. Cette opération est un peu longue mais elle donne d'excellents résultats. Les vins sont alors parfaitement clairs et agréables à

10. Sur la préparation d'une amorce de relance, voir plus haut.

Fermentation primaire

- Versez le concentré dans une cuve primaire.
- Ajoutez les ingrédients du fabricant.
- Ajoutez l'eau et ajustez la température.
- Prenez une lecture de la densité initiale.
- Ajoutez les levures.
- Couvrez d'une feuille de plastique ou d'un couvercle.
- Laissez fermenter à une température de 20-24 °C (68-85 °F).

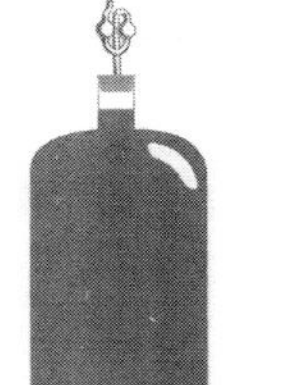

0 au 6e jour

Fermentation secondaire

- À 1,020 de densité, ajoutez la bentonite.
- Siphonnez dans une cuve secondaire.
- Remplissez jusqu'à 5 cm (2 po) du goulot.
- Installez la bonde hydraulique et versez-y la solution de métabisulfite jusqu'au niveau indiqué.

7e au 20e jour

Cuvaison

- Attendez jusqu'au 21e jour.
- À 0,995 (vins secs) et 0,998 (vins doux), la fermention est terminée.
- Ajoutez le stabilisant, les clarifiants, les cristaux métatartriques et autres produits bonifiants.
- Ajoutez du métabisulfite (si non inclus dans les sachets).
- Ajoutez des édulcorants (en fonction de vos goûts).

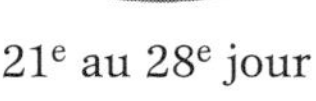

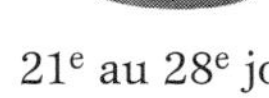

21e au 28e jour

Maturation

- Attendez 7 jours et filtrez votre vin.
- Embouteillez votre vin.
- Laissez vieillir 2 mois.
- Le vin sera meilleur après 1 an de maturation.

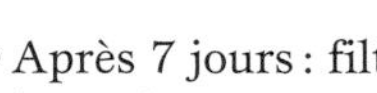

- Après 7 jours : filtration ;
- bon à boire après 2 mois ;
- meilleur après 1 an.

Tableau 2. La vinification des concentrés en kits « 28 jours »

boire. En outre, il faut savoir que les dépôts qui forment la lie peuvent donner un mauvais goût si on garde le vin plusieurs mois en bouteilles sans l'avoir filtré.

- Embouteillez votre vin ; si vous n'avez pas de bouchonneuse, vous pouvez en louer une.
- Laissez-le vieillir au moins deux mois avant de le déguster.
- Le vin sera cependant meilleur après un an en bouteilles ; il gardera toute sa saveur pendant trois à quatre ans, après quoi il commencera à perdre de ses qualités et à décliner.

La vinification des moûts stérilisés

Commercialisés depuis quelques années par Mosti Mondiale, les moûts stérilisés connaissent aujourd'hui un succès considérable. Tout préparés d'avance, ces moûts sont quasi une bénédiction pour l'amateur de vin, pour la bonne raison qu'ils ne nécessitent à peu près aucun effort de la part du vinificateur… sinon celui de patienter et de regarder vieillir son vin. En outre, ils sont très souvent d'une qualité supérieure aux concentrés !

Normalement, ces moûts sont purs à 100 % et proviennent, dans certains cas, de cépages nobles (cabernet-sauvignon, merlot, chardonnay, riesling, etc.). Dans d'autres cas, il peut s'agir de coupage de moûts de qualité qui peuvent produire d'excellents vins.

Une seule ombre au tableau : certains fabricants offrent des moûts stérilisés qui ne sont, dans les faits, que des concentrés reconstitués. En clair, cela veut dire que le fabricant a utilisé un concentré pour en faire un moût (ce que vous auriez pu faire vous-même) et qu'il vous le vend comme s'il s'agissait d'un moût pur à 100 %.

D'autres vendent un mélange des deux, c'est-à-dire du moût pur à 100 % auquel est mêlé du moût préparé à partir de concentré. Nous vous conseillons fortement de lire attentivement les informations sur les contenants de manière à ce que vous sachiez ce que vous achetez réellement. Pourquoi payer plus cher un moût qui n'est en fait que du simple concentré auquel on a ajouté de l'eau ?

Répétons que ces moût purs (s'ils le sont évidemment !) ne sont pas susceptibles de subir une fermentation malo-lactique pour la bonne raison qu'ils ont été stérilisés. Toutes les bactéries internes ont donc été éliminées, y inclus les bactéries malo-lactiques.

Dernier point : lisez attentivement les instructions, et si vous ne comprenez pas bien (certaines compagnies sont des maîtres en confusion !), consultez votre détaillant : il vous donnera toutes les informations utiles à la bonne marche de la vinification de votre moût.

Dans la plupart des cas, le moût stérilisé est présenté dans un sac scellé placé dans un seau d'une contenance de 25 litres, ce qui est la contenance minimum pour vinifier la quantité de moût offerte : les risques de débordement sont donc grands. Aussi, nous vous conseillons de protéger vos tapis et planchers ou, mieux encore, d'opter pour une cuve primaire plus grande.

Il n'est pas conseillé de tenter de verser directement le contenu du sac dans la cuve de fermentation, car les probabilités d'en mettre plus sur le sol que dans la cuve sont grandes. Ces sacs sont extrêmement souples et n'offrent aucune prise solide : il est bien difficile parfois d'empêcher le moût de se vider dans toutes les directions. Procédez plutôt par siphonnage, du moins pour le premier tiers du contenu. Par la suite, l'opération sera moins risquée.

Il est important aussi de conserver (s'il y a lieu) le numéro de lot du moût stérilisé : celui-ci se trouve soit sur le sac soit sur le bouchon. C'est votre garantie, du moins auprès des producteurs de moûts de bonne réputation.

Nous vous suggérons de plus, à cette étape, de goûter le moût. Qu'il soit blanc ou rouge, il devra avoir un goût agréable et sucré. Si tel n'est pas le cas, vous avez intérêt à apporter un échantillon chez votre détaillant.

De même, on vous recommande de porter attention à la couleur du vin. Il doit être d'un rouge profond (et surtout ne pas tirer sur le brunâtre) ou d'un blanc très légèrement ambré (et surtout pas caramel foncé ou même brunâtre).

Vérifiez aussi s'il y a une date d'expiration (malheureusement trop de détaillants se soustraient à cette pratique, qui est d'autant plus souhaitable que les moûts stérilisés ont une durée de vie allant de 12 à 18 mois).

Ingrédients

- Vingt-trois litres de moût stérilisé dans un sac scellé placé dans un seau ;
- un sachet de bentonite ;
- un sachet de levures ;
- un sachet d'additifs (contenant le tannin et les acides) ; notez que, parfois, les additifs sont déjà dilués dans le moût ;
- un stabilisant contenant du métabisulfite ;
- un clarifiant (facultatif) ;
- des copeaux de chêne ou de l'essence de chêne (facultatif).

Vinification des moûts stérilisés

- Versez le moût stérilisé dans une cuve primaire préalablement lavée, aseptisée et rincée à l'eau.
- Mettez dans la cuve la bentonite diluée dans de l'eau, si cela est prescrit par le fabricant. C'est souvent le cas quand il s'agit d'un vin qu'on veut boire très jeune et parfaitement clair. Pour ceux qui veulent attendre au delà de quelques mois, cette opération n'est pas nécessaire.
- Vérifiez la température : elle doit se situer entre 20 °C et 30 °C (68 °F et 86 °F).

- Faites une lecture de la densité à l'aide d'un densimètre (appelé aussi hydromètre). Notez le résultat ; ce dernier devrait se situer entre 1,080 et 1,090 (pour obtenir un taux d'alcool oscillant entre 11 % et 12 %) ; n'oubliez pas qu'il est essentiel d'aseptiser le densimètre et le cylindre (en les vaporisant avec du métabisulfite puis en les rinçant à l'eau purifiée) avant chaque lecture ; rincez après usage.
- Préparez les levures en suivant les instructions sur le sachet.
- Ajoutez les levures dès que la température se situe entre 20 °C et 30 °C (68 °F et 86 °F). Laissez reposer une demi-heure et brassez le tout.
- Couvrez la cuve primaire d'une feuille de plastique (ou du couvercle, dépendant du type de cuve utilisé) en l'entourant soit d'une corde à laquelle un élastique est attaché soit d'un grand élastique.
- Laissez fermenter dans un endroit tempéré (entre 20 °C et 30 °C ou 68 °F et 86 °F) ; si la pièce est trop froide, chauffez le moût avec une ceinture chauffante (disponible chez votre détaillant).
- Le lendemain, vérifiez que la fermentation a bien démarré ; vous devriez voir de la mousse ou, à tout le moins, des bulles remonter et crever constamment à la surface ; s'il n'y a aucune activité visible, consultez votre détaillant pour savoir s'il est nécessaire de relancer la fermentation au moyen d'une amorce [11].
- Le sixième jour après le début de la fermentation (cette période peut aller jusqu'à dix jours), vérifiez la densité du moût au moyen d'un densimètre (hydromètre) ; notez qu'il est essentiel d'aseptiser le densimètre et le cylindre (en les vaporisant avec du métabisulfite puis en les rinçant à l'eau purifiée) avant chaque lecture ; rincez après usage. Si le densimètre indique 1,020 ou

11. Sur la préparation d'une amorce de relance, voir plus haut.

moins, préparez une tourie secondaire de 23 litres lavée, aseptisée et rincée à l'eau.

- Siphonnez le vin dans la tourie secondaire. Faites le soutirage par étalement sur la paroi pour aérer le moût. La meilleure façon d'y arriver est de maintenir le tuyau près du goulot de manière à ce que le vin glisse lentement dans la tourie en s'étalant sur la paroi. De cette façon, le moût est beaucoup plus aéré. Il s'oxygène juste assez et libère beaucoup de gaz carbonique, ce qui permet une meilleure relance de la fermentation.
- Remplissez la tourie jusqu'à 5 cm (2 po) de l'extrémité du goulot, à moins que le moût soit encore trop actif (c'est-à-dire si la mousse est abondante) et risque de déborder ; dans ce cas, laissez 10 cm (4 po) et comblez la différence le lendemain ou le surlendemain avec du vin. Si vous n'avez pas de vin, utilisez de l'eau distillée ou de l'eau bouillie puis refroidie [12].
- Installez la bonde hydraulique et ajoutez une solution standard [13] de métabisulfite dans la bonde jusqu'au niveau indiqué ; remettez le petit bouchon sur la bonde.

Cuvaison

- Certains manufacturiers suggèrent un deuxième soutirage après 10 jours : vérifiez si c'est le cas.
- Le 21e jour, la fermentation devrait être terminée.
- Vérifiez et notez la densité : elle devrait avoisiner 0,995 pour les vins secs, et 0,998 pour les vins plus doux.

12. Il est de beaucoup préférable d'ajouter du vin. Cependant, on juge que l'ajout de 5 % d'eau (1 litre) au moût est acceptable.
13. On entend par « solution standard de métabisulfite » une solution faite à partir de 50 g de métabisulfite de potassium (9 cuillerées à thé rases) dilués dans 4 litres d'eau.

- Dans le cas où la densité serait supérieure à 0,995 ou à 0,998 (selon la nature des vins), prolongez la fermentation jusqu'à ce que le moût atteigne la densité prescrite. Si nécessaire, placez la tourie dans un endroit plus chaud pour activer la fermentation. Si la situation persiste, consultez votre détaillant pour savoir s'il y a lieu de faire une amorce de relance [14].
- Procédez au deuxième soutirage (ou au troisième : voir ci-dessus). Si vous ne disposez pas d'une deuxième tourie, vous pouvez utiliser votre cuve primaire. Vous pourrez alors nettoyer votre tourie que vous remplirez à nouveau par siphonnage une fois qu'elle sera bien propre. L'opération doit se faire rapidement pour éviter que le vin ne soit trop longtemps en contact avec l'air.
- Ajoutez des cristaux métatartriques si la présence des dépôts de tarte vous déplaît vraiment (ces « diamants du vin » ont la grosseur de grains de sel de mer et se déposent au fond de la bouteille). Vous pouvez aussi empêcher qu'ils ne se forment en abaissant la température du moût à 0 °C (32 °F) pendant deux à trois semaines après la fermentation. Certains laissent leur tourie dehors (attention au gel !). Cette solution n'est pas à la portée de tous. Elle nécessite aussi des manipulations risquées. Si vous disposez d'un deuxième réfrigérateur dans le sous-sol, vous pouvez l'utiliser à cet effet.
- Ajoutez le clarifiant (l'ichtyocolle) ; il se peut que le métabisulfite soit contenu dans une des enveloppes fournies par le producteur.
- Si le métabisulfite n'est pas dans les enveloppes, ajoutez un quart de cuillerée à thé (1,4 g) de métabisulfite préalablement dissous dans de l'eau.
- Ajoutez le stabilisant.

14. Sur la préparation d'une amorce de relance, voir plus haut.

Fermentation primaire

- Versez le jus stérilisé dans une cuve primaire.
- Ajoutez les ingrédients du fabricant.
- Prenez une lecture de la densité initiale.
- Ajoutez les levures.
- Couvrez d'une feuille de plastique ou d'un couvercle.
- Laissez fermenter à une température de 20-24 °C (68-85 °F).
- Ajoutez la bentonite (pour un vin à boire jeune).

0 au 6e jour

Fermentation secondaire

- À 1,020 de densité, siphonnez dans une cuve secondaire.
- Remplissez jusqu'à 5 cm (2 po) du goulot.
- Installez la bonde hydraulique et versez-y la solution de métabisulfite jusqu'au niveau indiqué.

7e au 20e jour
(siphonnage au 17e jour)

Cuvaison

- Attendez jusqu'au 20e jour.
- À 0,995 (vins secs) et 0,998 (vins doux), la fermentation est terminée. Soutirez.
- Ajoutez le stabilisant, les clarifiants, les cristaux métatartriques et autres produits bonifiants.
- Ajoutez des édulcorants (en fonction de vos goûts).

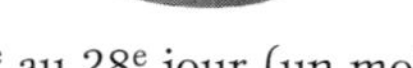

21e au 28e jour (un mois)

Maturation

- Le 28e jour, filtrez votre vin.
- Embouteillez votre vin.
- Laissez vieillir 3 mois.
- Le vin sera meilleur après 1 an de maturation.

- Le 28e jour : filtration ;
- bon à boire après 3 mois ;
- meilleur après 1 an.

Tableau 3. La vinification des moûts stérilisés

- Si le cœur vous en dit, vous pouvez donner un goût de chêne à votre vin en utilisant de l'essence de chêne.
- Ajoutez des édulcorants si vous voulez adoucir votre vin

Embouteillage et vieillissement

- Le 28e jour, filtrez votre vin en louant ou en utilisant votre propre système de filtration. Cette opération est un peu longue mais elle donne d'excellents résultats. Les vins sont alors parfaitement clairs et agréables à boire. En outre, il faut savoir que les dépôts qui forment la lie peuvent donner un mauvais goût si on garde le vin plusieurs mois en bouteilles sans l'avoir filtré.
- Embouteillez votre vin.
- Laissez-le vieillir au moins deux à quatre mois avant de le boire.
- Le vin sera meilleur après un an en bouteilles ; il gardera toute sa saveur pendant trois à cinq ans, après quoi il commencera à perdre de ses qualités et à décliner.

La vinification des moûts frais réfrigérés

Certains fabricants offrent aux vinificateurs des moûts frais qui sont disponibles peu de temps après les vendanges (à l'automne). Il s'agit de moûts qui n'ont subi aucune stérilisation. On a cependant ajusté leur taux d'acidité. Ces moûts frais sont conservés dans des locaux réfrigérés dont la température est maintenue en dessous du point de congélation (entre -2 °C et -4 °C / 25 °F et 28 °F).

Ces moûts, qui se présentent dans des seaux de 20 ou de 23 litres, ne sont pas d'ordinaire offerts sur place chez le détaillant, car ils se mettraient aussitôt à fermenter (puisqu'on leur a inoculé des levures).

Le vinificateur amateur doit donc commander à l'avance les moûts qu'il désire obtenir. Ceux-ci lui seront livrés à une date précise.

Cependant, dépendant de la demande, certains détaillants louent des camions réfrigérés pendant la haute période de vente de moûts frais pour satisfaire une clientèle de plus en plus nombreuse. D'autres disposent de locaux réfrigérés suffisamment grands pour entreposer quelques centaines de commandes. Ces derniers peuvent même garder en réserve des cépages prisés par leur clientèle.

Les moûts offerts sont presque tous des cépages classiques et semi-classiques venus de Californie, d'Italie, d'Espagne ou d'autres pays d'Europe. Les prix demandés sont en général moins élevés que ceux des moûts stérilisés pour la bonne raison que les moûts frais n'ont pas à être stérilisés (une opération relativement coûteuse qui se répercute sur le prix de vente).

Les moûts réfrigérés sont vendus jusqu'à épuisement des stocks. Certains moûts se vendent très vite, alors que d'autres sont disponibles pendant plus de six mois et même pendant toute l'année.

Une quantité moins importante de moûts réfrigérés est à nouveau offerte au printemps, les fabricants s'approvisionnant alors dans les pays de l'hémisphère sud où les saisons sont inversées. On peut donc obtenir des moûts frais venus du Chili, d'Argentine et d'Australie.

Le raisin étant, comme on l'a dit, « inconstant », chaque année apporte ses surprises. Tel cépage, le pinot noir par exemple, donne des vins magnifiques alors que le cabernet-sauvignon déçoit un peu cette année-là. Dans tous les cas, les vins sont excellents, presque toujours supérieurs à ceux qui sont produits à partir de concentrés ou de moûts stérilisés. La raison est simple : ces moût sont purs. Ils ont subi très peu de modifications sinon qu'on a équilibré leur taux d'acidité et qu'on ajouté du métabisulfite pour leur préservation. Ils contiennent leur eau naturelle et ont conservé intacte leur microflore pour produire des vins qui ont du nez.

Un vin fait avec du moût frais a toujours plus de goût et de parfum qu'un vin qui a été élaboré avec un moût stérilisé. Cela se perçoit dès la première gorgée.

Comme on l'a mentionné à quelques reprises, il est important que le vinificateur amateur lise attentivement les informations qui apparaissent sur les contenants. Certains producteurs vendent des « moûts frais » qui ne sont en fait que des moûts reconstitués à partir de concentrés. C'est une pratique pour le moins douteuse contre laquelle nous tenons à vous mettre en garde.

Dans le même ordre d'idées, il ne faut pas croire que les moûts frais ne produisent que des vins merveilleux. Il est évident qu'un moût frais de mauvaise qualité vaut moins qu'un moût stérilisé de haute qualité. On comprend sans peine que certains moûts stérilisés et même certains concentrés soient parfois de beaucoup supérieurs à des moûts frais de mauvais raisins ou de cépages de troisième ordre. La qualité prime avant tout.

Quoi qu'il en soit, les moûts frais connaissent actuellement un succès considérable puisqu'ils sont fabriqués sur leur lieu d'origine au moment où le raisin est à son meilleur, contrairement à des moûts préparés avec des raisins qui sont livrés « verts » au Canada de manière à éviter qu'ils pourrissent pendant le voyage : ces raisins sont donc souvent trop pauvres en sucre, trop tanniques et très astringents. En outre, ils sont souvent classés selon la fantaisie de celui qui les vend. Bien malin celui qui peut distinguer au premier coup d'œil un cabernet-sauvignon d'un cabernet franc. Cela est si vrai que les spécialistes eux-mêmes n'arrivent pas toujours à déterminer avec précision certains cépages tant ces derniers se ressemblent. On y reviendra plus loin lorsque nous vous indiquerons la meilleure manière de fabriquer son vin à partir de raisins frais.

Signalons enfin que la compagnie Mosti Mondiale offre aux amateurs une solution mitoyenne entre le moût frais réfrigéré et les moûts tirés directement du raisin (voir plus loin). En effet, l'« édition Sonoma » se présente dans le même contenant que les moûts réfrigérés, à cette particularité près que le moût placé dans un seau de 23 litres contient en sus deux kilos de peaux de raisin, permettant ainsi à l'amateur de pigmenter lui-même son vin rouge (et d'augmenter la teneur en tannins).

La compagnie Mosti Mondiale offre aussi aux vinificateurs amateurs une sélection saisonnière de raisins issus de cépages classiques et semi-classiques. Importés de France et d'Italie, les raisins de la « Collection Vendange » sont cueillis à maturité, égrappés, foulés et surgelés avant d'être offerts aux amateurs dans des seaux de 20 et 23 litres. Ces derniers doivent vinifier leur moût de la même manière que s'il s'agissait de raisins frais. Ils disposent des informations essentielles à la vinification telles le pH, l'acidité totale, la densité (Brix) et la quantité de métabisulfite contenue dans le moût (SO_2). Cette expérience est encore au stade expérimental, la « Collection Vendage » ayant été offerte en quantité très limitée à l'automne 1997.

Ingrédients

- Un moût frais réfrigéré placé dans un contenant de 20 ou de 23 litres. Ce moût frais est livré sur commande. Il est d'ordinaire maintenu à une température de -2 °C (25 °F). Il va de soi que si le vinificateur amateur a attendu trop longtemps avant d'en prendre possession, ce dernier peut avoir eu le temps de commencer à fermenter.

La recette qui suit s'applique à un vin rouge dont on favorise la fermentation malo-lactique. Elle sera suivie d'une autre pour les vins blancs.

Vinification d'un moût frais rouge

- Laissez dégeler dans une pièce suffisamment chaude (entre 20 °C et 30 °C, ou 68 °F et 86 °F) ou chauffez le récipient avec une ceinture chauffante (disponible chez le détaillant). S'assurer que le contenant dispose d'une petite valve d'échappement, car dès que la fermentation va débuter, le moût risque de déborder ou de faire sauter le couvercle (le fabricant pratique parfois un petit trou au moyen d'un poinçon pour favoriser l'échappement de l'excès de moût dû au début de fermentation).

- Si le moût frais a été réfrigéré plusieurs semaines avant son achat (si vous l'achetez en décembre par exemple), il est suggéré d'ajouter le même type de levures que celui qui a été inoculé au moût. Vous pouvez aussi utiliser des levures différentes en fonction de vos besoins : par exemple, une levure qui favorise la fermentation malo-lactique (D 47) ou encore une levure de type bourgogne. Suivez évidemment les instructions du fabricant pour l'ensemencement des levures.
- Dès que le moût commencera à bouillonner, videz-le ou siphonnez-le dans une cuve primaire de format approprié (parfois le siphonnage est difficile à cause des gaz dégagés par la fermentation ; il vaut mieux alors vider le contenu dans la cuve primaire). Cette cuve aura été préalablement lavée, aseptisée et rincée à l'eau. À noter que vous pouvez faire fermenter votre moût dans le seau fourni par le fabricant à la condition de bien protéger votre plancher des débordements prévisibles, car le contenant qui vous est fourni offre l'espace minimum pour la fermentation.
- Faites une lecture de la densité à l'aide d'un densimètre (appelé aussi hydromètre) ; notez qu'il est essentiel d'aseptiser le densimètre et le cylindre (en les vaporisant avec du métabisulfite puis en les rinçant à l'eau purifiée) avant chaque lecture ; rincez après usage. Notez le résultat. Ce dernier devrait se situer entre 1,080 et 1,095 (pour obtenir un taux d'alcool oscillant entre 11 % et 12,5 %). Vous pouvez aussi demander au

détaillant de vous fournir la liste des densités de départ au moment où les moûts ont été préparés. Certains fabricants la remettent aux détaillants. Notez ces résultats sur votre fiche de vinification.

- Goûtez le moût. Qu'il soit blanc ou rouge, il devra avoir un goût agréable et sucré. Si tel n'est pas le cas, vous avez intérêt à apporter un échantillon chez votre détaillant. Pendant le transport de cet échantillon, faites attention aux débordements, car le moût sera en pleine fermentation. Utilisez un récipient assez grand et transportez-le dans un sac de plastique bien scellé.
- Vérifiez aussi la couleur du moût. Il faut cependant le faire très rapidement, car, lorsque le moût fermente, il prend d'ordinaire une couleur gris-rose pour les vins rouges et laiteuse pour les vins blancs.
- Couvrez la cuve primaire d'une feuille de plastique (ou du couvercle, dépendant du type de cuve utilisé) en l'entourant soit d'une corde à laquelle un élastique est attaché soit d'un grand élastique.
- Laissez fermenter dans un endroit tempéré (entre 20 °C et 30 °C ou 68 °F et 86 °F) ; si la pièce est trop froide, chauffez le moût avec une ceinture chauffante (disponible chez votre détaillant). Dans le cas des vins rouges dont on souhaite une fermentation malolactique, il faut maintenir la température entre 20 °C et 30 °C (68 °F et 86 °F) pendant trois mois ; une ceinture chauffante s'impose si la fermentation se fait dans un sous-sol qui n'est pas chauffé.
- La fermentation est parfois très bouillonnante pendant les 10 premiers jours, mais ce n'est pas le cas pour tous les moûts. Certains moûts produisent moins de mousse que d'autres. Il faut donc se fier plutôt au densimètre qui indiquera avec précision où en est rendue la fermentation.
- Après cinq à sept jours (ce temps peut aller jusqu'à 10 jours), le densimètre devrait indiquer une densité de

1,020 ou moins ; notez qu'il est essentiel d'aseptiser le densimètre et le cylindre (en les vaporisant avec du métabisulfite puis en les rinçant à l'eau purifiée) avant chaque lecture ; rincez après usage.

- Siphonnez alors le vin dans la tourie secondaire préalablement lavée, aseptisée et rincée à l'eau. Faites un soutirage par étalement en maintenant le boyau près du goulot de manière à ce que le vin glisse lentement dans la tourie en s'étalant sur la paroi. De cette façon, le moût est beaucoup plus aéré. Il s'oxygène juste assez et libère beaucoup de gaz carbonique, ce qui permet une meilleure relance de la fermentation.
- Remplissez la tourie jusqu'à 5 cm (2 po) de l'extrémité du goulot, à moins que le moût soit encore trop actif (c'est-à-dire si la mousse est abondante) et risque de déborder ; dans ce cas, laissez 10 cm (4 po) et comblez la différence le lendemain ou le surlendemain avec du vin. Dans ce cas-ci, on ne peut utiliser de l'eau.
- Nous recommandons fortement d'utiliser une tourie de verre pour les moûts frais, car le vin séjournera plus de trois mois en tourie, un temps suffisant pour qu'une tourie de plastique laisse pénétrer de l'oxygène dans le moût. Si vous avez un surplus de vin, vous pouvez le conserver dans des bouteilles ou dans des cruches sur chacune desquelles vous mettrez une bonde hydraulique.
- Installez la bonde hydraulique et ajoutez une solution standard[15] de métabisulfite dans la bonde jusqu'au niveau indiqué ; remettez le petit bouchon sur la bonde.

15. On entend par « solution standard de métabisulfite » une solution faite à partir de 50 g de métabisulfite de potassium (9 cuillerées à thé rases) dilués dans 4 litres d'eau.

CUVAISON

- Le 21e jour (la fermentation peut prendre un mois) après le début de la fermentation, celle-ci devrait être terminée ; vérifiez et notez la densité : elle doit être de 0,995 pour les vins secs, et de 0,998 pour les vins plus doux.
- Dans le cas où la densité serait supérieure à 0,995 ou à 0,998 (selon la nature des vins), prolongez la fermentation jusqu'à ce que le moût atteigne la densité désirée. Si nécessaire, placer la tourie dans un endroit plus chaud pour activer la fermentation. Si la situation persiste, consultez votre détaillant pour savoir s'il y a lieu de faire une amorce de relance [16].
- Faites un test de goût ; si votre vin a un goût de soufre ou d'œuf pourri, prenez immédiatement les mesures qui s'imposent : ajoutez-y un quart de cuillerée à thé (1,4 g) de métabisulfite. Siphonnez ensuite votre vin trois ou quatre fois dans des cuves pour l'aérer et faire disparaître l'odeur de soufre. Avisez sans faute votre détaillant des mesures que vous venez de prendre.
- Procédez au soutirage. Si vous ne disposez pas d'une deuxième tourie, vous pouvez utiliser votre cuve primaire pendant que vous nettoierez votre tourie, que vous remplirez à nouveau par siphonnage une fois qu'elle sera bien propre. L'opération doit se faire rapidement pour éviter que le vin ne soit trop longtemps en contact avec l'air.
- Remettez la bonde selon la méthode habituelle.
- Laissez en tourie pendant deux à trois mois, toujours à la même température.
- Vérifiez si la fermentation malo-lactique est amorcée. Si tel est le cas, vous devriez voir de petites bulles qui indiquent à l'évidence que la fermentation a lieu ; ces bulles remontent constamment vers la surface et sollicitent de ce fait la bonde hydraulique.

16. Sur la préparation d'une amorce de relance, voir plus haut.

- Dans le cas où vous vinifiez en même temps du moût dans plusieurs touries et que certaines ne connaissent aucune activité de fermentation malo-lactique pendant que d'autres sont en action, prélevez 100 ml (3 oz) de moût dans une tourie en fermentation pour l'introduire dans les touries qui ne fermentent pas. On peut aussi acheter des bactéries malo-lactiques chez le détaillant pour provoquer une fermentation qui tarde à venir.
- Faites un soutirage à toutes les quatre ou six semaines s'il y a des dépôts importants dans la tourie. Procédez selon la manière habituelle.
- Après deux mois, faites un test de densité, de goût et de clarté pour vous assurer que tout est en ordre. Si la fermentation malo-lactique n'a pas eu lieu, il faut alors maintenir la tourie à la température prescrite pendant un mois supplémentaire et utiliser si nécessaire des bactéries malo-lactiques (disponibles chez le détaillant).
- Quand la fermentation malo-lactique est complétée (la bonde n'est plus sollicitée), il faut ajouter dans chaque tourie de 20 ou de 23 litres un quart de cuillerée à thé (1,4 g) de métabisulfite dissous dans de l'eau.
- Ajoutez aussi, si vous le désirez, des copeaux de chêne pour donner plus de goût au vin. Il faut d'abord les aseptiser, en les faisant chauffer au four à une température de 90 °C à 100 °C (de 194 °F à 212 °F) pendant 20 minutes (mais pas plus pour éviter que les copeaux ne s'enflamment !). Placez les copeaux dans un sac de coton à fromage ou de nylon. Ajoutez-y deux billes de verre pour que le sac reste au fond de la tourie. L'essence de chêne, quant à elle, ne devra être mise en tourie qu'au moment de la filtration.
- À cette étape-ci, il faut faire un choix : soit qu'on laisse vieillir son vin en tourie (pour éviter de le boire trop jeune !) pendant neuf mois à compter du premier jour de la fermentation, soit qu'on procède immédiatement à l'embouteillage du vin en suivant les étapes décrites

plus bas. Dans le cas du vieillissement en tourie, il faut vérifier régulièrement les bondes, dont le métabisulfite doit être renouvelé tous les mois.

Lorsqu'on met le vin en bouteilles, on procède de la façon suivante.

- Ajoutez des cristaux métatartriques si la présence des dépôts de tarte vous déplaît vraiment (ces « diamants du vin » ont la grosseur de grains sel de mer et se déposent au fond de la bouteille). Vous pouvez aussi empêcher qu'ils ne se forment en abaissant la température du moût à 0 °C (32 °F) pendant deux à trois semaines au cours de la cuvaison. Certains laissent leur tourie dehors (attention au gel !). Cette solution n'est pas à la portée de tous. Elle nécessite aussi des manipulations risquées. Si vous disposez d'un deuxième réfrigérateur dans le sous-sol, vous pouvez l'utiliser à cet effet.
- Stabilisez votre vin. Dans le cas d'un vin qui a connu une fermentation malo-lactique, vous ne pouvez utiliser le sorbate de potassium (le stabilisant) sans avoir au préalable aseptisé le vin au moyen d'un quart de cuillerée à thé (1,4 g) de métabisulfite de potassium (pour 20 ou 23 litres de vin) trois jours avant de le stabiliser. L'opération est simple : il s'agit de diluer le métabisulfite dans 50 ml d'eau (1 2/3 oz) avant de l'incorporer au vin en le brassant vigoureusement. À noter que, s'il y a des dépôts, il est important de siphonner alors le vin.

Le traitement au métabisulfite trois jours avant l'ajout du stabilisant est absolument efficace et éprouvé, même si certains fabricants le déconseillent (au point d'annuler la garantie si vous pratiquez cette méthode). Pourtant il évite presque à coup sûr les risques que votre vin prenne un goût de géranium et devienne imbuvable. Quant au stabilisant, on l'a déjà dit, il stoppe une refermentation possible en bouteilles, refermentation qui rendrait votre vin semi-pétillant ou ferait tout simplement sauter les bouchons de vos bouteilles en cave !

- Une fois la stabilisation faite, clarifiez le vin au moyen d'ichtyocolle ou de bentonite. Cette opération est facultative si vous entrevoyez de clarifier votre vin.
- Ajoutez des édulcorants si vous voulez adoucir votre vin.

Embouteillage et vieillissement

- Un mois plus tard, filtrez votre vin ; si vous n'avez pas de système de filtration, vous pouvez en louer un. Cette opération est un peu longue, mais elle donne d'excellents résultats. Les vins sont parfaitement clairs et agréables à boire. En outre, il faut savoir que les dépôts qui forment la lie peuvent donner un mauvais goût si on garde le vin plusieurs mois en bouteilles sans l'avoir filtré.
- Mettez le vin en bouteilles et laissez-le reposer au moins un mois. Le temps de repos idéal en bouteilles est de trois mois.
- Buvez le vin un an après le début de la fermentation et trois mois après son embouteillage [17]. On peut le boire avant, mais cela n'est pas souhaitable. Le vin se bonifiera pendant trois ou quatre ans. Il peut être conservé pendant cinq à six ans et même plus (jusqu'à 10 ans) en chambre froide.

La vinification d'un moût frais blanc

Pour vinifier les moûts frais blancs, les étapes à suivre sont les mêmes que pour le rouge, à cette particularité près que

17. Le vin, lorsqu'on le met en bouteilles, subit un « choc » qui le déstabilise. Pour qu'il retrouve tout son équilibre, on suggère d'attendre trois mois avant de le boire. Par ailleurs, concernant le vieillissement du vin, voir le tableau de vieillissement du vin au chapitre 5.

la fermentation malo-lactique doit être évitée pour ne pas trop « adoucir » le vin.

Dans le cas des chardonnays, cependant, on conseille de suivre exactement les mêmes étapes que pour le rouge, car ils y gagnent au change.

En ce qui concerne la fermentation malo-lactique des chardonnays, on peut, là encore, utiliser une ponction de vin dont la fermentation malo-lactique est amorcée pour lancer la fermentation dans une cuve où rien ne se produit. L'ajout de 100 ml (3 oz) de vin rouge ne modifiera pas la couleur du vin. On peut aussi se procurer des bactéries malo-lactiques chez le détaillant.

Quant aux autres vins blancs, on procède donc comme pour le vin rouge jusqu'à l'étape de la fermentation malo-lactique.

- Laissez fermenter en cuve primaire pendant 5 à 7 jours (cette période peut aller jusqu'à 10 jours).
- Vérifiez la densité au moyen d'un densimètre (hydromètre) ; si elle atteint 1,020 (ou moins), siphonnez le vin dans une tourie secondaire de 20 ou de 23 litres ; notez qu'il est essentiel d'aseptiser le densimètre et le cylindre (en les vaporisant avec du métabisulfite puis en les rinçant à l'eau purifiée) avant chaque lecture ; rincez après usage.
- Après 21 jours, assurez-vous que la fermentation est bel et bien complétée : la densité doit être de 0,995 (ou moins) pour les vins très secs et de 0,998 pour les vins plus doux.

C'est à partir d'ici que la technique de vinification d'un moût blanc diffère légèrement.

- Siphonnez le moût dans une autre tourie, puis ajoutez un quart de cuillerée (1,4 g) de métabisulfite pour freiner une possible fermentation malo-lactique.
- Laissez vieillir le vin en tourie pendant le temps désiré (de trois à neuf mois). Dans le cas du vin blanc on peut abaisser la température sans problème : si vos touries sont dans votre sous-sol, vous n'avez donc pas besoin de ceinture chauffante ou de chauffage d'appoint.

Fermentation primaire	Fermentation secondaire	Cuvaison	Maturation
• Laissez réchauffer le moût à 20 °C (68 °F), puis versez dans une cuve primaire. • Prenez une lecture de la densité initiale. • Ajoutez les levures. • Couvrez d'une feuille de plastique ou d'un couvercle. • Laissez fermenter à une température de 20-24 °C (68-85 °F).	• À 1,020 de densité, siphonnez dans une cuve secondaire. • Remplissez jusqu'à 5 cm (2 po) du goulot. • Installez la bonde hydraulique et versez-y la solution de métabisulfite jusqu'au niveau indiqué. • Le 21e jour, siphonnez. • Favorisez ou freinez la fermentation malo-lactique selon la nature du vin.	• Laissez reposer 2 à 3 mois. • À 0,995 (vins secs) et 0,998 (vins doux), la fermentation est terminée. • Ajoutez du métabisulfite. • Ajoutez le stabilisant, les clarifiants, les cristaux métatartriques et autres produits bonifiants. • Ajoutez des édulcorants (en fonction de vos goûts).	• Un mois plus tard, filtrez votre vin. • Laissez vieillir au moins 1 an (au total) en tourie ou en bouteilles avant de boire.

0 au 6e jour	7e au 21e jour	22e au 112e jour (3 mois)	• Filtration 1 mois plus tard ; • maturation 1 an au total ; • meilleur après 1 an.

Tableau 4. La vinification des moûts frais réfrigérés

- Pour le reste, faites exactement comme pour le vin rouge : ajout d'un quart de cuillerée à thé (1,4 g) de métabisulfite trois jours avant d'ajouter le stabilisant, ajout du chêne, ajout du clarifiant, opération de filtration, etc.

La vinification à partir de raisins

Comme on l'a déjà dit, la vinification à partir de raisins n'est pas conseillée pour le débutant. D'abord parce que l'opération est plus longue et plus compliquée ; ensuite parce que les chances de réussir un bon vin sont moins élevées que lorsqu'on vinifie des moûts frais, stérilisés ou faits à partir de concentrés, qui ont l'avantage d'être presque toujours équilibrés.

En outre, dans le cas de raisins achetés en vrac chez le marchand, les risques de contamination (par les bactéries ou la pourriture) sont plus élevés.

Quoi qu'il en soit, si vous décidez de fabriquer votre vin à partir de raisins achetés chez le marchand, vous avez intérêt à suivre les étapes que nous vous recommandons plutôt que celles proposés par les marchands ; sinon vous risquez de boire un vin rude et semi-pétillant élaboré selon des recettes qui sont pour le moins vétustes.

Pour acheter des raisins, il faut être connaisseur. L'expérience a montré que, dans certains cas, le vinificateur amateur est trompé : il achète des raisins qu'il croit issus d'un cépage noble alors que ce n'est pas le cas. Lire le nom d'un cépage sur la boîte ne garantit pas que les raisins qui s'y trouvent sont ceux qui devraient y être !

Dans tous les cas, vous devez choisir des raisins bien mûrs. Cela est d'autant plus important qu'il est fort probable que les raisins ont été cueillis un peu verts pour leur permettre de faire le voyage jusque chez le détaillant sans pourrir. Certaines années, ces raisins contiennent moins de sucre qu'ils ne le devraient. Les moûts nécessiteront donc des ajustements en conséquence, sinon le goût final s'en ressentira forcément. Surveillez aussi la moisissure. S'il y en a trop, n'achetez pas.

Vinification de raisins rouges

- Procurez-vous au moins deux caisses de 16 kilos (35 lb) de raisin pour produire 20 litres de vin (une caisse de raisin donne environ 10 litres de vin).
- Égrappez le raisin, c'est-à-dire enlevez les raisins de leur grappe pour éviter que la rafle (l'ensemble des pédoncules et des pédicelles de la grappe de raisin), ne macère avec les raisins et ne produise ainsi un excès de tannin. De nos jours, les fouloirs destinés aux amateurs sont munis d'un égrappoir intégré qui évite l'opération d'égrappage manuel.
- Foulez le raisin. Le foulage consiste à faire passer les raisins dans un appareil denté qui déchiquette et perfore le raisin pour lui permettre de libérer tout son jus.
- Si vous avez constaté qu'il y a plus de pourriture que perçue lors de l'achat des raisins, ajouter au moût un quart de cuillerée à thé (1,4 g) de métabisulfite dilué dans 60 ml (2 oz) d'eau pour deux caisses de raisin. Cet ajout risque cependant de ralentir ou d'arrêter la fermentation malo-lactique qu'il faudra réactiver plus tard .
- Faites une lecture de la densité du moût en le filtrant (par exemple, au moyen d'une passoire en plastique), sans quoi l'opération risque d'être plutôt compliquée. Si la densité est trop basse, c'est-à-dire moindre que 1,080, ajouter 250 ml (une tasse) de dextrose (ou de sucre) par 20 litres de moût et faites une nouvelle lecture. Si, au contraire, la densité est trop élevée, c'est-à-dire au delà de 1,100, il faut alors ajouter un demi-litre d'eau au moût par 20 ou 23 litres.

- Au moyen d'une trousse appropriée, faites une lecture du taux d'acidité totale et équilibrez le moût (voir les chapitres 3 et 7). Le taux d'acidité idéal se situe entre 5 g/l et 6,5 g/l pour les vins rouges, et entre 5 g/l et 7,5 g/l pour les vins blancs. À noter que le taux d'acidité des moûts faits directement à partir de raisins diminue souvent d'un gramme par litre au cours de la fermentation. Il vaut donc mieux avoir un taux élevé qu'un taux trop bas. De plus, si vous disposez d'un pH-mètre, prenez le pH du liquide. Ce pH doit se situer entre 3,1 et 3,5 ; la lecture idéale est de 3,3.
- Notez la densité, le pH et les autres informations sur votre fiche de vinification.
- Ajoutez les levures au moût. Choisissez les levures en fonction de vos besoins. Par exemple, vous pouvez opter pour des levures qui favorisent la fermentation malolactique (D 47) ou encore pour des levures de type K dans le cas où il y aurait de la moisissure sur les raisins. Suivez évidemment les instructions du fabricant pour l'ensemencement du moût en levures.
- Couvrez la cuve primaire d'une feuille de plastique (ou du couvercle, dépendant du type de cuve utilisé) en l'entourant soit d'une corde à laquelle un élastique est attaché soit un grand élastique.
- Laissez fermenter dans un endroit tempéré (entre 20 °C et 30 °C ou 68 °F et 86 °F) ; si la pièce est trop froide, chauffez le moût avec une ceinture chauffante (disponible chez votre détaillant). Dans le cas des vins rouges dont on souhaite une fermentation malolactique, il faut maintenir la température entre 20 °C et 30 °C (68 °F et 86 °F) pendant trois mois. Une ceinture chauffante s'impose si la fermentation se fait dans un sous-sol qui n'est pas chauffé.
- Rabaissez périodiquement le « chapeau » (composé des résidus du raisin) qui se formera à la surface. Cette opération est nécessaire pour deux raisons : d'abord pour

ramener à l'intérieur du moût les peaux, les noyaux et autres résidus qui serviront à teindre le moût et à lui donner son tannin; ensuite, pour libérer la chaleur accumulée, car le chapeau agit comme un isolant et fait grimper souvent la température au delà de 30 °C (86 °F), ce qui a pour conséquence de freiner brusquement la fermentation. Si la chose se produit, il est recommandé de refroidir le moût avec de la glace ou avec de l'eau froide pour abaisser la température et relancer la fermentation.

- Pour obtenir la couleur désirée, laissez macérer et vinifier dans son moût avec les peaux pendant trois à sept jours. À noter que c'est la pellicule qui contient les pigments qui donnent au moût sa couleur rouge et aussi le tannin au vin; la séparation des peaux du moût doit être faite au moment opportun sans tenir compte de la densité. Il n'est donc pas nécessaire d'attendre que la fermentation soit terminée avant de retirer les peaux.
- Siphonnez le maximum de moût possible dans une tourie secondaire préalablement lavée, aseptisée et rincée à l'eau. Placez les résidus du moût dans un pressoir. Il s'agit d'un cylindre dans lequel on met les raisins écrasés pour les fouler et en retirer tout le moût au moyen d'un couvercle qui les compresse, actionné par une vis munie d'un bras auquel on fait faire des rotations lentes. Cet instrument cylindrique fait de lattes de bois espacées (voir le chapitre 4) coûte relativement cher. Pressez le moût résiduel, mais sans excès: il ne s'agit pas de faire une masse compacte. Pour vérifier la qualité du moût, il suffit d'y goûter. Si le moût est plus ou moins amer, il faut arrêter le pressage des résidus et l'ajouter au moût déjà en tourie.
- Remplissez la tourie jusqu'à 5 cm (2 po) de l'extrémité du goulot, à moins que le moût soit encore trop actif (c'est-à-dire si la mousse est abondante) et risque de déborder; dans ce cas, laissez 10 cm (4 po) et comblez

la différence le lendemain ou le surlendemain avec du moût ; dans ce cas-ci, on ne doit pas utiliser de l'eau.

- Nous recommandons fortement d'utiliser une tourie de verre pour les raisins frais, car le vin séjournera plus de trois mois en tourie, un temps suffisant pour qu'une tourie de plastique laisse pénétrer de l'oxygène dans le moût. Si vous avez un surplus de vin, vous pouvez le conserver dans des bouteilles ou dans des cruches sur lesquelles vous mettrez une bonde hydraulique.
- Installez la bonde hydraulique et ajoutez une solution standard [18] de métabisulfite dans le contenant de la bonde jusqu'au niveau indiqué ; remettez le petit bouchon sur la bonde.

Cuvaison

- Le 21e jour (la fermentation peut prendre un mois) après le début de la fermentation, celle-ci devrait être terminée ; vérifiez et notez la densité : elle doit être de 0,995 pour les vins secs, et de 0,998 pour les vins plus doux.
- Dans le cas où la densité serait supérieure à 0,995 ou 0,998 (selon la nature des vins), prolongez la fermentation jusqu'à ce que le moût atteigne la densité désirée. Si nécessaire, placer la tourie dans un endroit plus chaud pour activer la fermentation. Si la situation persiste, consultez votre détaillant pour savoir s'il y a lieu de faire une amorce de relance [19].
- Faites un test de goût ; si votre vin a un goût de soufre ou d'œuf pourri, prenez immédiatement les mesures

18. On entend par « solution standard de métabisulfite » une solution faite à partir de 50 g de métabisulfite de potassium (9 cuillerées à thé rases) dilués dans 4 litres d'eau.
19. Sur la préparation d'une amorce de relance, voir plus haut.

qui s'imposent : ajoutez-y un quart de cuillerée à thé (1,4 g) de métabisulfite. Siphonnez ensuite votre vin trois ou quatre fois dans des cuves pour l'aérer et faire disparaître l'odeur de soufre.

- Procédez au soutirage. Si vous ne disposez pas d'une deuxième tourie, vous pouvez utiliser votre cuve primaire pendant que vous nettoierez votre tourie, que vous remplirez à nouveau par siphonnage une fois qu'elle sera bien propre. L'opération doit se faire rapidement pour éviter que le vin ne soit trop longtemps en contact avec l'air.
- Remettez la bonde selon la méthode habituelle.
- Laissez en tourie pendant deux à trois mois, toujours à la même température.
- Vérifiez si la fermentation malo-lactique est amorcée. Si tel est le cas, vous devriez voir de petites bulles qui indiquent à l'évidence que la fermentation a lieu ; ces bulles remontent constamment vers la surface et sollicitent de ce fait la bonde hydraulique.
- Dans le cas où vous vinifiez en même temps du moût dans plusieurs touries et que certaines ne connaissent aucune activité de fermentation malo-lactique pendant que d'autres sont en action, prélevez 100 ml (3 oz) de moût dans une tourie en fermentation pour l'introduire dans les touries qui ne fermentent pas. On peut aussi acheter des bactéries malo-lactiques chez le détaillant pour provoquer une fermentation qui tarde à venir.
- Faites un soutirage à toutes les quatre ou six semaines s'il y a des dépôts importants dans la tourie. Procédez selon la manière habituelle.
- Après deux mois, faites un test de densité, de goût et de clarté pour vous assurer que tout est en ordre. Si la fermentation malo-lactique n'a pas eu lieu, il faut alors maintenir la tourie à la température prescrite pendant un mois supplémentaire et utiliser si nécessaire des bactéries malo-lactiques (disponibles chez le détaillant).

- Quand la fermentation malo-lactique est complétée (la bonde n'est plus sollicitée), il faut ajouter dans chaque tourie de 20 ou de 23 litres un quart de cuillerée à thé (1,4 g) de métabisulfite dissous dans de l'eau.
- Ajoutez aussi, si vous le désirez, des copeaux de chêne pour donner plus de goût au vin. Il faut d'abord les aseptiser, en les faisant chauffer au four à une température de 90 °C à 100 °C (de 194 °F à 212 °F) pendant 20 minutes (mais pas plus pour éviter que les copeaux ne s'enflamment !). Placez les copeaux dans un sac de coton à fromage ou de nylon. Ajoutez-y deux billes de verre pour que le sac reste au fond de la tourie. L'essence de chêne, quant à elle, ne devra être mise en tourie qu'au moment de la filtration.
- À cette étape-ci, il faut faire un choix : soit qu'on laisse vieillir son vin en tourie (pour éviter de le boire trop jeune !) pendant neuf mois à compter du premier jour de la fermentation, soit qu'on procède immédiatement à l'embouteillage du vin en suivant les étapes décrites plus bas. Dans le cas du vieillissement en tourie, il faut vérifier régulièrement les bondes, dont le métabisulfite doit être renouvelé tous les mois.

Lorsqu'on met le vin en bouteilles, on procède de la façon suivante.

- Ajoutez des cristaux métatartriques si la présence des dépôts de tarte vous déplaît vraiment (ces « diamants du vin » ont la grosseur de grains sel de mer et se déposent au fond de la bouteille). Vous pouvez aussi empêcher qu'ils ne se forment en abaissant la température du moût à 0 °C (32 °F) pendant deux à trois semaines au cours de la cuvaison. Certains laissent leur tourie dehors (attention au gel !). Cette solution n'est pas à la portée de tous. Elle nécessite aussi des manipulations risquées. Si vous disposez d'un deuxième réfrigérateur dans le sous-sol, vous pouvez l'utiliser à cet effet.

- Stabilisez votre vin. Dans le cas d'un vin qui a connu une fermentation malo-lactique, vous ne pouvez utiliser le sorbate de potassium sans avoir au préalable aseptisé le vin au moyen d'un quart de cuillerée à thé (1,4 g) de métabisulfite de potassium (pour 20 ou 23 litres de vin) trois jours avant de le stabiliser. L'opération est simple : il s'agit de diluer le métabisulfite dans 50 ml d'eau (1 2/3 oz) avant de l'incorporer au vin en le brassant vigoureusement. À noter que, s'il y a des dépôts, il est important de siphonner alors le vin. Le traitement au métabisulfite trois jours avant l'ajout du stabilisant est absolument efficace et éprouvé. Il évite presque à coup sûr les risques que votre vin prenne un goût de géranium et devienne imbuvable. Quant au stabilisant, on l'a déjà dit, il stoppe une refermentation possible en bouteilles, refermentation qui rendrait votre vin semi-pétillant ou ferait tout simplement sauter les bouchons de vos bouteilles en cave !
- Une fois la stabilisation faite, clarifiez le vin au moyen d'ichtyocolle ou de bentonite si le vin est brouillé. Cette opération est facultative si vous entrevoyez de filtrer votre vin.
- Ajoutez des édulcorants si vous voulez adoucir votre vin.

Embouteillage et vieillissement

- Un mois plus tard, filtrez votre vin ; si vous n'avez pas de système de filtration, vous pouvez en louer un. Cette opération est un peu longue, mais elle donne d'excellents résultats. Les vins sont parfaitement clairs et agréables à boire. En outre, il faut savoir que les dépôts qui forment la lie peuvent donner un mauvais goût si on garde le vin plusieurs mois en bouteilles sans l'avoir filtré.
- Mettez le vin en bouteilles et laissez-le reposer au moins un mois. Le temps de repos idéal en bouteilles est de trois mois et plus.

- Buvez le vin un an, et même plus, après le début de la fermentation. Le vin fait à partir de raisins est en général plus corsé que les vins de moûts ou de concentrés. Il se bonifie en vieillissant.

La vinification de raisins blancs

La vinification du vin blanc à partir de raisins est à peu près la même que celle faite à partir de raisins rouges. La différence essentielle réside dans le fait qu'on n'a pas à pigmenter le moût pour en modifier la couleur initiale et qu'on ne souhaite pas (sauf dans le cas du chardonnay) une fermentation malo-lactique.

Les étapes à suivre se ressemblent donc pour beaucoup, à cette différence près qu'on ne conserve que le jus du raisin, lequel est aussitôt mis à fermenter dans une cuve primaire. Comme il n'y a pas de résidus de raisin, il n'y a donc pas de chapeau à rabaisser quotidiennement.

De plus, la température n'a pas à être maintenue entre 20 °C et 30 °C (68 °F et 86 °F) pendant trois mois compte tenu qu'on ne veut pas favoriser la fermentation malo-lactique. À vrai dire, c'est le contraire qu'on fait : on ajoute dès le premier soutirage un quart de cuillerée à thé (1,4 g) de métabisulfite (ce qui freine l'action des bactéries malo-lactiques), puis on en rajoute au moment de mettre en bouteilles en procédant de la même manière que pour les rouges, c'est-à-dire trois jours avant de mettre le stabilisant.

Certains aiment le vin très sec, d'autres le préfèrent un peu plus doux. Si, au moment de l'embouteillage (mais avant la filtration), vous jugez que votre blanc est trop sec, vous pouvez y ajouter du CC, un produit fabriqué par Tecvin (qui est fait de sucre de raisin 100 % naturel), ou encore un édulcorant qui donneront au vin un goût légèrement plus sucré.

Quant au reste, on procède de la même manière, à cette différence qu'on peut boire le vin blanc plus tôt que le vin

N.B. Suivre les instructions pour le foulage et le pressage du raisin de même que pour l'équilibage du taux d'acidité.

Fermentation primaire

- Prenez une lecture de la densité initiale.
- Ajoutez les levures.
- Couvrez d'une feuille de plastique ou d'un couvercle.
- Laissez fermenter à une température de 20-24 °C (68-85 °F) et rabaissez le chapeau de 2 à 4 fois par jour.

0 au 6e jour

Fermentation secondaire

- À 1,020 de densité, siphonnez dans une cuve secondaire et pressez ce qui reste.
- Remplissez jusqu'à 5 cm (2 po) du goulot.
- Installez la bonde hydraulique et versez-y la solution de métabisulfite jusqu'au niveau indiqué.
- Le 21e jour, siphonnez.
- Favorisez ou freinez la fermentation malo-lactique selon la nature du vin.

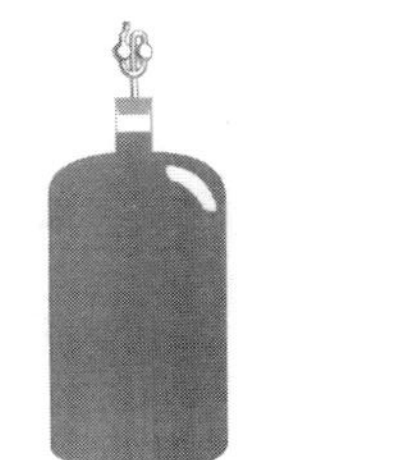

7e au 21e jour

Cuvaison

- Laissez reposer 2 à 2 mois.
- À 0,995 (vins secs) et 0,998 (vins doux), la fermentation est terminée.
- Faites un soutirage une fois par mois, s'il y a des dépôts.
- Ajoutez des édulcorants (en fonction de vos goûts).

22e au 112e jour (1 mois)

Maturation

- Un mois plus tard, filtrez votre vin.
- Laissez vieillir au moins 1 an (au total) en tourie ou en bouteilles avant de boire.
- Embouteillez en évitant une refermentation en bouteilles.

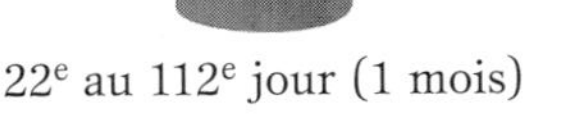

- Filtrez 1 mois plus tard ;
- maturation 1 an au total ;
- doit être bu après 1 an.

Tableau 5. La vinification à partir de raisins

rouge (la quantité de tannin y est moindre). Dans tous les cas, il vaut toujours mieux attendre un an avant de boire son vin, particulièrement celui qui est vinifié à partir de raisins frais.

Comment produire du vin pétillant ?

Il y a au moins quatre méthodes pour produire du vin pétillant à la maison. Peu importe la méthode utilisée, il est recommandé de choisir avec soin le moût qui convient le mieux dans les circonstances. À ce titre, les moûts frais ou stérilisés sont fortement conseillés. À la limite, on peut opter pour des semi-concentrés. Il est aussi suggéré de choisir des cépages classiques. Le chardonnay est celui qui donne les meilleurs résultats. Les vins de Moselle, le riesling et le gewurztraminer, font aussi de bons pétillants, de même que le muscat. De fait, il faut choisir des vins dont le goût est marqué, car en ajoutant du gaz carbonique on masque un peu l'arôme du vin en plus de le rendre plus sec. Voilà pourquoi il est recommandé d'opter pour des vins qui ont du bouquet.

Dans tous les cas, il est suggéré de boire le pétillant très froid, presque au point de congélation. À noter finalement que le vin pétillant ne s'améliore guère avec le temps, compte tenu que le gaz carbonique freine sa maturation naturelle. Il est donc préférable de le boire au cours de l'année suivant sa fabrication.

La cuve close et l'ajout de gaz carbonique

La première méthode, la plus simple, est celle de la cuve close. Les résultats sont très satisfaisants. On procède exactement comme on le fait pour les moûts frais ou les moûts stérilisés, car la transformation du vin plat en vin pétillant n'a lieu qu'à la fin du processus, c'est-à-dire au moment où on devrait normalement procéder à la mise en bouteilles. Dans le cas du vin pétillant, il est fortement suggéré d'empêcher la formation de tartre en ajoutant de l'acide métatartrique (facultatif dans le cas du vin plat) ou en réfrigérant le moût.

Le temps venu, il faut se munir d'un contenant en acier inoxydable de 19 litres. Ces contenants, disponibles chez votre détaillant, sont en général des anciens contenants de boissons gazeuses vendues sous pression. Ils ont l'avantage de pouvoir subir une forte pression interne.

Le Dolce et le CC pour adoucir le vin.

On siphonne le vin de la tourie pour le mettre dans le contenant d'acier. On peut même édulcorer le vin (uniquement dans le cas de pressurisation en cuve close) en optant pour des édulcorants vendus chez les détaillants : le CC de Tecvin (qui est fait de sucre de raisin 100 % naturel), le Dolce ou encore le conditionneur à vin. On peut aussi conserver un peu du moût devant servir à la fermentation et l'ajouter au moment de l'embouteillage. Il est suggéré, si on ne veut pas trop augmenter la teneur en sucre du pétillant, d'ajouter seulement 125 ml (4 oz) d'édulcorant ou de moût non fermenté au moût fermenté. Ceux qui veulent vraiment sucrer le pétillant devront ajouter 250 ml (8 oz) d'édulcorant ou de moût.

On y ajoute l'acide métatartrique (si cela n'a pas encore été fait). Une fois l'opération terminée, on pressurise le contenant à l'aide d'une bonbonne de CO_2 (gaz carbonique). La pression requise est de 3,26 kg/cm^2 (45 lb/po^2).

On place ensuite le contenant dans un réfrigérateur dont la température avoisine 0 °C (32 °F) pendant une semaine en maintenant toujours la pression au même niveau.

Pour mettre le pétillant en bouteilles, il faut louer un appareil conçu à cet effet. Pour réussir l'opération d'embouteillage, il est essentiel que les bouteilles soient très froides. Il va de soi qu'on utilise des bouteilles à pétillant, dites bouteilles de champagne. Les bouteilles normales risquent d'éclater avec le temps et de causer même des blessures. On les remplit puis on procède rapidement au bouchage, après quoi on pose le muselet pour éviter que le bouchon ne saute pendant la maturation du vin. On peut aussi ajouter les capsules de papier métallique pour habiller le goulot de façon à donner plus de panache au vin pétillant. Le coût de l'ensemble de ces opérations est d'environ un dollar par bouteille.

Le résultats sont vraiment surprenants, surtout si on laisse vieillir le pétillant pendant au moins un mois. Le gaz carbonique se fond alors mieux au vin, fait corps avec lui et persiste plus longtemps dans la coupe.

La plupart de ceux qui font l'expérience de la fabrication du vin pétillant selon cette méthode y prennent goût et recommencent l'opération chaque année ou même plusieurs fois par année.

La refermentation en cuve close

La deuxième méthode consiste à provoquer une refermentation en cuve close. Comme pour la méthode précédente, cette opération n'a lieu qu'une fois que le vin est fait, clarifié et prêt à être embouteillé (le temps varie selon la nature des moûts ou des concentrés choisis).

> ***Attention :*** *il ne faut pas stabiliser le vin car il faudra provoquer une refermentation en bouteilles en ajoutant de la levure au vin. Il faut opter pour la levure à champagne EC-1118. Cette levure résiste mieux que toutes les autres à l'alcool déjà contenu dans le vin.*

En fait, on procède un peu de la même manière que pour la méthode en cuve close : on verse le vin dans un contenant d'acier inoxydable, puis on ajoute du sucre au vin pour permettre la formation de gaz carbonique à l'intérieur de la bouteille. On a le choix entre une tasse de sucre blanc (225 g ou 8 oz) pour 19 litres de vin, et une tasse et quart de dextrose (250 g ou 10 oz). Le dextrose est recommandé car il convient mieux au vin. Il fermente plus facilement.

Une fois cette opération terminée, on inocule au moût une amorce de relance faite à partir de levures EC-1118. On mélange et on dissout le tout. On ferme le couvercle du contenant d'acier, puis on laisse fermenter en maintenant le tout à une température de 16 °C à 20 °C (de 60 °F à 70 °F) pendant quatre à six semaines.

On procède ensuite à la mise en bouteilles (des bouteilles destinées au pétillant, il va de soi) de la même manière qu'on l'a fait dans la première méthode.

À noter que la première bouteille de vin pétillant obtenue de cette façon sera nécessairement embrouillée. Cela est dû à la sonde qui touche directement le fond du contenant d'acier et aspire de ce fait tous les résidus qui s'y sont déposés. Les autres bouteilles seront, elles, limpides.

Cette méthode est plus complexe à mener que la première et les résultats ne sont pas plus éclatants.

Certains trouvent plus facile l'ajout de gaz carbonique alors que d'autres préfèrent la méthode de refermentation qui leur paraît plus naturelle. À vous de choisir…

Si vous optez pour la deuxième méthode, vous devez tenir compte cependant de la nécessité de maintenir votre pétillant dans un contenant d'acier inoxydable pendant plus d'un mois. Il faudra sans doute que vous achetiez votre propre récipient.

La méthode champenoise

Si on utilise la méthode champenoise (le mot « Champagne » ne peut être utilisé ailleurs qu'en Champagne), les règles de départ sont sensiblement les mêmes que celles des deux autres méthodes. On procède donc à la vinification normale : on n'utilise pas de stabilisant (pour favoriser la refermentation en bouteilles), on ajoute de l'acide métatartrique ou on réfrigère le moût (pour éviter la formation de tarte en bouteilles), on s'assure que le vin est clair faute de quoi on le filtre, après quoi on dissout dans 20 litres de vin soit une tasse de sucre blanc (225 g ou 8 oz), soit une tasse et un quart de dextrose (250 g ou 10 oz). Le dextrose est plus recommandé car il convient mieux au vin. On ajoute une amorce de levures faite à partir des levures EC-1118 qui fermentent plus rapidement.

On procède ensuite à l'embouteillage en utilisant des bouteilles destinées à cet usage. Dans le cas de la méthode champenoise, il faut se procurer des capsules pour bouteilles de bière et une capsuleuse [20]. Une fois que toutes les bouteilles ont été capsulées, on les laisse debout pour une période de 6 à 12 semaines à une température se situant entre 15 °C et 20 °C (60 °F et 70 °F). Le temps venu, on décapsule une bouteille pour savoir si elle contient suffisamment de gaz. Si tel est le cas, on procède alors au dégorgement.

Le dégorgement est une opération délicate. Il est précédé d'une opération essentielle qui consiste à accumuler tous les dépôts dans le goulot. Pour y parvenir, il faut placer les bouteilles à l'envers dans des caisses. Par la suite, il faudra les tourner d'un demi-tour chaque jour pendant deux à trois semaines. Les gens plus fortunés peuvent se payer un pupitre pour le pétillant, c'est-à-dire un meuble spécialement destiné à la fabrication de pétillant. Ils devront modifier l'inclinaison des bouteilles à tous les deux ou trois jours jusqu'à ce qu'elles soient complètement renversées.

20. Attention au type de bouteille : en Europe, on utilise des capsules fabriquées selon le système métrique. Elles sont légèrement plus grosses que les capsules fabriquées en Amérique. Il faut donc avoir les bouteilles, les capsules et la capsuleuse appropriées.

Une fois que tous les dépôts se sont accumulés à l'intérieur du goulot, on peut procéder au dégorgement. À moins que vous ne soyez un maître en cette matière, nous ne vous suggérons pas de le faire à la température de la pièce car vous risquez de perdre les deux tiers de votre pétillant et de mettre votre patience sérieusement à l'épreuve. Nous vous suggérons plutôt de faire geler en partie les pétillants de manière à faire dégorger uniquement la partie gelée.

Pour l'amateur, il y a deux manières de procéder. La première consiste à préparer une saumure constituée d'une tasse (250 ml) de gros sel qu'on dépose dans un récipient avec de la glace concassée. On place les bouteilles le goulot vers le bas dans un bassin suffisamment grand pour recevoir toutes les bouteilles. Le récipient doit contenir de la saumure à une hauteur suffisante pour faire geler tout le dépôt contenu dans les bouteilles. On attend que la glace se forme dans les bouteilles jusqu'à ce qu'elle atteigne 1,25 cm (1 1/2 po) au-dessus des dépôts.

Quand cet objectif est atteint, il faut alors procéder avec célérité. On se place devant une cuve primaire couchée en oblique devant soi (ou qu'on tient sur les genoux), puis on décapsule une bouteille de pétillant. On entoure ensuite la partie gelée avec la paume de la main et on attend que la pression du gaz expulse les dépôts gelés ; puis, on bouche immédiatement la bouteille avec le pouce. On attend une quinzaine de secondes, puis, de la main libre, on prend un bouchon de plastique préalablement stérilisé qu'on place rapidement sur le goulot et qu'on enfonce aussitôt avec force.

Une fois cette opération accomplie, on pose le muselet pour maintenir le bouchon en place et éviter qu'il ne saute. On répète cette opération avec chacune des bouteilles.

Il faut beaucoup de dextérité pour procéder sans dégât au dégorgement du pétillant. Voilà pourquoi on suggère à l'amateur de fabriquer d'abord de fausses bouteilles de pétillant pour qu'il puisse se faire la main. La façon de procéder est d'embouteiller de 6 à 10 bouteilles avec de l'eau dans lesquelles on a ajouté un demi-citron pressé et une cuillerée à thé rase de dextrose par bouteille, avec de la levure EC-1118. Ce liquide deviendra pétillant au même moment que le vin et vous permettra de faire des tentatives (probablement malheureuses !) avant de procéder au dégorgement de votre propre pétillant.

Comme on peut l'imaginer, cette méthode est loin d'être aisée. Elle demande une dextérité peu commune et un pouce solide pour que l'opération réussisse à tout coup. À vrai dire, elle n'est pas vraiment conseillée à moins que l'amateur y tienne vraiment, car les risques de perdre une bonne partie de la production sont vraiment très élevés.

La méthode champenoise facilitée

Fabriquer du vin pétillant selon la méthode champenoise est une chose aisée. C'est le dégorgeage qui exige une grande dextérité. Conscients de cette difficulté, des fabricants ont imaginé des bouchons qui permettent l'évacuation des dépôts par le bouchon lui-même.

Il existe différents modèles. Le premier est un long bouchon d'environ 10 cm (4 po) qui capte dans son propre cylindre les dépôts générés par la fermentation en bouteilles. Quand tous les dépôts se sont accumulés dans le cylindre, il suffit de replier la partie souple et d'attacher le tout avec une broche pour que le tour soit joué.

L'autre type de bouchon est muni d'une petite valve qu'on ouvre en tirant sur une corde et qu'on ferme au moment opportun pour que tous les dépôts s'évacuent d'eux-mêmes de la bouteille.

Dans les deux cas, l'idée est fort ingénieuse. Les résultats, eux, sont moins concluants. En fait, il arrive souvent que ces bouchons laissent échapper le gaz contenu dans la bouteille par manque d'étanchéité. Résultat : on perd un certain nombre de bouteilles. Sans doute arrivera-t-on à corriger ce défaut. Pour l'instant, les pertes sont trop importantes (de 20 % à

25 %) pour recommander inconditionnellement l'usage de ces bouchons.

Des problèmes et leurs solutions

La vinification est une opération relativement aisée. En général, on la réussit assez facilement. Il arrive cependant qu'on se bute à des difficultés face auxquelles on ne sait trop quoi faire.

Nous vous présentons ici les principaux problèmes auxquels vous aurez peut-être à faire face et nous vous suggérons des moyens pour les régler.

> *Signalons avant de débuter qu'il est fortement conseillé de toujours diluer dans de l'eau tiède les produits qui doivent être dissous dans les moûts. Cette technique, qu'on appelle hydrolisation, évite le choc trop brutal d'un produit chimique qui entre directement en contact avec le moût.*

La fermentation lente

Il arrive souvent que le vinificateur amateur constate, après une dizaine de jours, que la fermentation n'a presque pas progressé. Le densimètre indique 1,040 au lieu du 1,020 prévu.

Dans beaucoup de cas, la lenteur de la fermentation est souvent due à la température ambiante, qui est nettement trop basse pour permettre une fermentation normale.

Si tel est le cas, la solution est simple. Il suffit d'élever la température du moût soit en appliquant une ceinture chauffante sur la paroi extérieure de la tourie, soit en chauffant la pièce. De plus, pour réactiver la fermentation, il est suggéré de brasser légèrement le moût par rotation au moyen d'une longue cuillère de plastique (disponible chez votre détaillant) pendant les trois ou quatre premiers jours de réactivation de la refermentation.

La fermentation qui ne démarre pas

Il arrive parfois que la fermentation ne démarre pas. En général, cela est dû à une température ambiante trop basse.

Il se peut aussi que les levures aient été mal préparées. Suivez toujours avec minutie les instructions inscrites sur le sachet. Évitez d'utiliser de l'eau trop chaude. Ne laissez pas les levures trop longtemps dans l'eau. Les levures se multiplient très rapidement, elles ont besoin d'espace, de nourriture et de vitamines pour survivre et se multiplier ; l'eau ne contenant aucune nourriture, les levures meurent faute d'une alimentation minimale.

Finalement, il se peut aussi que la fermentation ne démarre pas parce que le taux de sulfite total est trop élevé. Dans ce cas précis, il faudra faire une amorce[21].

Dans les autres cas, il faut refaire une nouvelle mixture de levures et la remettre dans la tourie. Mélanger à plusieurs reprises des levures dans votre moût n'est pas dommageable. S'il y a une très forte quantité de levures, cela ne ferait qu'activer le processus de fermentation.

L'arrêt de la fermentation

Il arrive parfois que la fermentation cesse subitement. Cela se produit lorsque la densité se situe entre 1,010 et 1,020. Cet arrêt est bien souvent causé par un excès de gaz carbonique et par un manque d'oxygène. Ces éléments combinés freinent l'action des levures. Voilà pourquoi on suggère de faire un soutirage pour relancer la fermentation.

---

21. Sur la préparation de l'amorce, voir ci-haut.

Il peut y avoir deux autres raisons. La première est la trop basse température ; il faut alors l'élever. La deuxième est un taux d'alcool trop haut. Dans ces conditions les levures ont tendance à mourir. Voilà pourquoi, il est nécessaire de faire une lecture de la densité du moût avant la fermentation. Si la densité excède 1,100, c'est qu'il y a trop de sucre dans le moût. Pour corriger la situation (avant comme après le début de la fermentation), on suggère de mettre de l'eau de source ou de l'eau distillée dans une proportion qui ne devrait pas dépasser 5 % de la quantité totale du moût, c'est-à-dire un litre d'eau par vingt litres de moût.

Si toutes les mesures suggérées n'ont pas réglé le problème, il faut alors utiliser d'autres moyens. Il est inutile de rajouter des levures si la densité est basse (1,010 à 1,020). Les levures fraîches ne sont pas acclimatées à un taux aussi élevé d'alcool et ne survivront pas. Il s'agit donc de préparer une amorce dans un autre milieu que celui du moût. Pour cela, on pratique la méthode donnée plus haut (« Une amorce de relance ») en veillant bien à diminuer la densité jusqu'à ce qu'elle corresponde à celle de la tourie dont la fermentation s'est arrêtée.

Une odeur de soufre ou d'œuf pourri

Les causes qui engendrent l'odeur d'œuf pourri sont trop complexes et nombreuses pour qu'on les décrive. Mais la seule façon de faire disparaître cette odeur et, du coup, de sauver le moût d'une perte irrémédiable, est de procéder à trois ou quatre soutirages d'affilée en ayant, au préalable, dissous un quart de cuillerée à thé de (1,4 g) métabisulfite de potassium et une cuillerée à thé de vitamine C (acide ascorbique) dans 20 ou 23 litres de moût selon la méthode habituelle (c'est-à-dire en le dissolvant d'abord dans 60 ml (2 oz d'eau de source ou d'eau distillée). Si cette opération est sans effet, il faudra utiliser la technique artisanale, c'est-à-dire passer le contenu dans un entonnoir de cuivre, ou ajouter du sulfate de cuivre dans le moût. Si vous avez pris soin d'avertir votre détaillant de votre problème et si vous avez gardé le numéro de lot du moût, vous pouvez vous prévaloir de la garantie… qui sera honorée ou pas, dépendant de la compagnie qui distribue le moût.

Une odeur de soufre oxydé

Cette odeur qui ressemble à celle qu'on observe lorsqu'on craque une allumette signifie probablement qu'il y a eu abus de métabisulfite de potassium. Pour en être sûr, vous pouvez faire un test de métabisulfite au moyen des titrets fabriqués par la compagnie CHEMétrics (en vente normalement chez votre détaillant). On trouvera des explications sur ce test au chapitre 7. La seule solution pour remédier à ce problème est de laisser progressivement le gaz généré par l'oxydation du soufre se dégager par la bonde ou de pratiquer un ou deux soutirages par étalement sur les parois pour favoriser l'aération du moût. Il ne faut surtout pas embouteiller le vin avant que cette odeur ait disparu.

Une odeur de géranium

Ce phénomène se produit surtout dans le cas où on utilise du moût frais réfrigéré ou des raisins pressés et foulés et qu'on procède ensuite à la stabilisation du vin avec du sorbate de potassium. Comme on l'a dit, il est essentiel de diluer un quart de cuillerée à thé (1,4 g) de métabisulfite de potassium trois jours avant de dissoudre le sorbate de potassium dans le moût, sans quoi le phénomène risque de se produire.

> *Si par malheur vous négligez de procéder de cette façon et que l'odeur se fait sentir, vous devez considérer que votre vin est perdu.*

Un vin trop acide

Si votre vin vous semble trop acide (son goût pique la langue), il faut alors faire un test d'acidité (voir le chapitre 7 et le chapitre 3) et procéder à une désacidification en vous procurant chez votre détaillant un produit désacidifiant. Il faut faire de petites additions et répéter au besoin, faire ensuite une autre lecture et attendre quelques jours avant de goûter le vin. Recommencez si nécessaire jusqu'à ce que le vin atteigne un taux d'acidité normal et qu'il soit à votre goût.

Un problème de couleur

Il arrive parfois que les vins rouges soient trop pâles. Cela est souvent dû à la pigmentation qui a été faite trop rapidement[22], vous pouvez vous procurer des colorants vendus soit en poudre, soit en liquide. Méfiez-vous des excès : un cabernet-sauvignon, par exemple, n'est pas rouge sombre ! Pour en avoir le cœur net, vous pouvez comparer la couleur avec un vin commercial d'appellation contrôlée. En ce domaine, vous le savez très bien, la modération a bien meilleur goût !

Par ailleurs, si votre vin blanc prend une coloration plus ou moins caramel ou même brunâtre, il est possible de pâlir le vin à la condition, bien sûr, qu'il soit toujours buvable. Le changement de couleur d'un vin dénote bien souvent un problème d'oxydation. En cas de doute, apportez votre vin à votre détaillant. Dans le cas où le vin serait sain, il faut alors utiliser un filtre au charbon activé ou une poudre de charbon activé. Cette technique redonne en général une belle couleur aux vins blancs.

22. Au sujet de la pigmentation, voir le chapitre 1 et le chapitre 2.

Chapitre 7

Échelles, tests et mesures

our vous faciliter la tâche, nous avons cru utile de regrouper l'ensemble des opérations qui exigent l'utilisation de poids et mesures, d'échelles de vérification et de tests chimiques.

Certains tests sont relativement compliqués à mener ; d'autres le sont moins. Nous les avons tous retenus, bien que nous sachions que certains d'entre eux ne seront probablement jamais pratiqués par la majorité des vinificateurs amateurs. Nous savons cependant que les informations fournies ici feront le bonheur d'amateurs avertis, et que ces derniers apprécieront l'ensemble des données techniques et scientifiques que contient ce chapitre.

Les poids et mesures

Différentes mesures comparées

Métrique	Impérial
45 ml	3 c. à soupe
30 ml	2 c. à soupe
15 ml	1 c. à soupe
5 ml	1 c. à thé
2,5 ml	1/2 c. à thé
1,25 ml	1/4 c. à thé

Métrique	Impérial			
1,0 l	4	tasses	32	onces (oz)
500,0 ml	2	tasses	16	onces
437,5 ml	1 3/4	tasse	14	onces
416,5 ml	1 2/3	tasse	13 1/3	onces
375,0 ml	1 1/2	tasse	12	onces
333,3 ml	1 1/3	tasse	10 2/3	onces
312,5 ml	1 1/4	tasse	10	onces
250,0 ml	1	tasse	8	onces
187,5 ml	3/4	tasse	6	onces
165,0 ml	2/3	tasse	5 2/7	onces
125,0 ml	1/2	tasse	4	onces
82,5 ml	1/3	tasse	2 2/3	onces
62,5 ml	1/4	tasse	2	onces

Métrique	Impérial
1000,0 litres (l)	220,0 gallons
454,5	100,0
204,5	45,0
54,0	11,9
28,0	6,2
23,0	5,1
20,0	4,4
19,0	4,2
18,0	4,0
15,0	3,3
11,5	2,5
4,5	1,0
1,0	0,2

L'échelle des températures comparées

Degrés Celsius	Degrés Fahrenheit
100	212,0
90	194,0
80	176,0
70	158,0
60	140,0
50	122,0
40	104,0
30	86,0
29	84,2
28	82,4
27	80,6
26	78,8
25	77,0
24	75,2
23	73,4
22	71,6
21	69,8
20	68,0
19	66,2
18	64,4
17	62,6
16	60,8
15	59,0
10	50,0
5	41,0
0	32,0

Les mesures des produits les plus utilisés pour la vinification

Le métabisulfite de potassium (aseptisant)

- En poudre : 1/4 de cuillerée à thé (1,4 g) dilué dans de l'eau tiède est suffisant pour aseptiser 20 ou 23 litres de vin. Le taux de métabisulfite sera alors de 30 parties par million (ppm). On peut ajouter du métabisulfite de potassium à trois reprises au cours de la vinification (90 ppm au total). Les normes internationales admises sont de 250 ppm.
- En comprimés : 3 comprimés sont suffisants pour 20 ou 23 litres.
- En solution standard (en contenant de 4 litres ou en vaporisateur) : le métabisulfite en solution permet d'aseptiser les cuves, les touries et les bouteilles avant leur usage et aussi de vaporiser les divers instruments utilisés au cours de la vinification.
  On ajoute 9 c. à thé ou 3 c. à soupe (50g) à 4 litres d'eau pour obtenir une solution stérilisante appropriée.

Attention : *il faut opter pour les récipients en verre. Si on utilise du plastique (particulièrement dans le cas des vaporisateurs), il faut changer la solution tous les trois mois car l'oxygène pénètre à travers les contenants de plastique.*
Attention : *n'utilisez que le métabisulfite de potassium. Le métabisulfite de sodium est nocif pour la santé. Heureusement, on en trouve de moins en moins sur le marché.*
Attention : *dans le cas des jus de raisin réfrigérés, il ne faut pas ajouter de métabisulfite de potassium lors du premier soutirage (quand le moût atteint la densité de 1,020), car cet ajout aurait pour effet de freiner la fermentation malolactique (qui aura lieu au cours des semaines qui suivront).*

Le sorbate de potassium

On utilise le sorbate de potassium pour stabiliser le vin avant de l'embouteiller. La stabilisation évite une refermentation en bouteilles.

> ***Attention :*** *dans le cas des jus réfrigérés, il est important d'ajouter d'abord 1/4 de c. à thé de métabisulfite de potassium dilué dans de l'eau tiède,* trois jours *avant d'ajouter le sorbate de potassium.*

- Deux cuillerées à thé (6 g) sont suffisantes pour stabiliser 20 ou 23 litres de vin.

La bentonite

- Trois cuillerées à thé sont suffisantes pour clarifier 20 ou 23 litres de vin. On dilue la bentonite dans une tasse (250 ml) d'eau tiède. La dissolution n'est jamais complète. Pour arriver à de meilleurs résultats, on suggère d'utiliser un mélangeur (ou un robot culinaire). Il faut d'abord verser l'eau puis ajouter la bentonite à petites doses. Mixez pendant deux ou trois minutes. Pour que la bentonite fasse totalement corps avec l'eau, on suggère de laisser reposer la solution pendant 24 heures.

L'ichtyocolle

- Un sachet de poudre ou une bouteille de 25 ml (tous deux dilués dans de l'eau tiède) sont suffisants pour clarifier 20 ou 23 litres de vin.

Le Kielselsol ou Claro K.C.

- Le Kielselsol, ou Claro K.C., est vendu dans un emballage contenant suffisamment de produit pour clarifier 23 litres de vin. Suivre les instructions.

L'essence de chêne

- Vin rouge : 50 ml d'essence de chêne pour 20 ou 23 litres de vin.
- Vin blanc : 25 ml d'essence de chêne pour 20 ou 23 litres de vin.

Ces mesures sont données à titre de suggestion. Si le vin est très corsé, on peut en mettre plus que la dose suggérée (par exemple, 75 ml). Ne jamais oublier que la modération est toujours de mise.

Les copeaux de chêne

- Deux c. à soupe (30 g) sont suffisantes pour parfumer un vin. On laisse tremper les copeaux de quatre à huit semaines selon la nature du vin et le goût qu'on désire obtenir. On laisse les copeaux de chêne dans le vin blanc moins longtemps que dans le vin rouge.

La lecture et l'utilisation des échelles du densimètre

Le densimètre

Le densimètre est un instrument de première importance. On s'en sert fréquemment tout au long de la vinification. Il est donc recommandé de le manipuler avec soin pour ne pas le briser (c'est une dépense inutile que de remplacer un densimètre deux ou trois fois par année !) et aussi pour éviter d'en fausser la lecture. On doit savoir que l'échelle de lecture a été graduée sur un papier enroulé à l'intérieur du densimètre. Or ce papier est fixé sur la paroi par une colle légère ; il risque donc de se décoller à la suite d'un coup trop brusque.

Vous devez vérifier régulièrement la solidité de l'échelle graduée en bougeant de bas en haut le densimètre. Si le papier gradué reste fixe, tout va pour le mieux, mais s'il bouge ou que vous n'êtes pas certain qu'il est fixé à la bonne place à l'intérieur du tube, faites un test de précision (voir ci-dessous).

Enfin, en ce qui concerne le cylindre, nous avons signalé au chapitre 4 qu'il existe sur le marché un type de cylindre muni d'un clapet qu'on plonge dans la tourie et qui permet de retirer la quantité de jus ou de vin désirée

Le test de précision

La meilleure façon de faire un test de précision est de remplir le cylindre du densimètre d'eau distillée, d'abaisser la température de l'eau à 15 °C (59 °F), en mettant si nécessaire l'échantillon au réfrigérateur pendant quelques minutes, puis de faire une lecture avec le densimètre. Si la lecture corrigée (voir le paragraphe suivant) vous donne un taux de 1,000, c'est qu'il est tout à fait juste. Si la lecture est inférieure ou supérieure de façon très nette, c'est la preuve que votre densimètre ne fonctionne plus et que vous devez vous en procurer un autre.

Savoir lire le densimètre

La capillarité est un phénomène qui concerne les liquides contenus dans des tubes (le densimètre, par exemple), et qu'il est important de décrire ici brièvement. On pourrait le définir en disant que les liquides « s'agrippent » littéralement aux parois avec lesquelles ils entrent en contact. Ce phénomène provoque une distorsion dans le niveau du liquide : le liquide en contact avec la paroi est normalement plus haut que celui qui est situé au centre. Dans le cas du densimètre, cette distorsion est double puisque le liquide s'agrippe à la fois à la paroi du cylindre et à la paroi du densimètre. Quand on fait une lecture sur un densimètre, il faut observer la partie la plus basse du niveau du liquide (au centre) (voir l'illustration). Sinon, la donnée qu'on obtient peut être plus élevée de un voire de deux degrés (par exemple : 1,000 au lieu de 0,998). Si vous faites la lecture à partir du niveau du liquide le plus élevé (sur la paroi), il faudra modifier le résultat à la baisse.

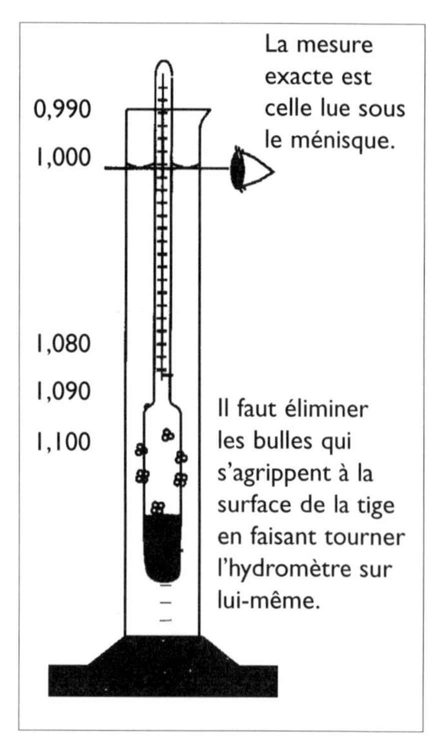

Les bulles d'air

Vous devez aussi vous assurer qu'il n'y a pas de bulles d'air dans le densimètre ; celles-ci se forment naturellement autour de sa partie renflée. S'il y a des bulles, il suffit de faire tourner sur lui-même le densimètre pour que les bulles remontent à la surface.

Les variations des lectures

En général, l'échelle graduée a été établie en fonction d'une température de 15 °C (59 °F). Cela signifie que vous devriez en principe refroidir ou chauffer votre moût pour atteindre cette température si vous voulez avoir une idée précise de la densité de votre moût. Dans les faits, les vinificateurs amateurs fabriquent leur vin dans des endroits tempérés (entre 15 °C et 22 °C; 59 °F et 71,6 °F) l'écart est alors minime (de 0,5 à 1 unité sur l'échelle du densimètre, c'est-à-dire de un demi à un pour cent d'écart). Si l'écart de température est nettement plus élevé, il faut alors faire des ajustements de lecture.

À titre d'information, nous vous donnons l'échelle d'écarts de température:

à 10 °C (50 °F) l'écart est de - 0,6
à 20 °C (68 °F) l'écart est de + 0,9
à 25 °C (77 °F) l'écart est de + 2,0
à 30 °C (85 °F) l'écart est de + 3,4
à 35 °C (95 °F) l'écart est de + 5,0
à 40 °C (104 °F) l'écart est de + 6,8

Le taux d'alcool et le densimètre

Il y a trois façons de déterminer le taux d'alcool dans le vin à l'aide du densimètre.

L'échelle du potentiel d'alcool

Beaucoup de densimètres disposent d'une échelle qui porte le nom de potentiel d'alcool (PA). Pour connaître la teneur en alcool de votre vin, il est nécessaire de faire une lecture au départ du PA en même temps que vous faites celle de la densité, c'est-à-dire au moment où le moût s'apprête à fermenter. Sur le densimètre, le PA pourrait être, par exemple, de

11°. Il faudra alors attendre jusqu'à la toute fin de la fermentation (et même, de préférence, au moment de l'embouteillage) pour refaire une nouvelle lecture. Si la fermentation a totalement réussi, alors le PA devrait être de 0. Pour connaître le taux d'alcool, il suffit alors de soustraire la marque initiale (11°) de la marque finale (0°) pour obtenir le taux d'alcool dans le vin 11° (degrés) d'alcool ou 11 % d'alcool. Si, pour prendre un autre exemple, le taux potentiel était de 12° et que la lecture finale indique 1°, il faut soustraire ce 1° du 12° pour obtenir un taux de 11° d'alcool ou 11 pour cent d'alcool.

Le taux d'alcool à partir de la densité

Une autre façon de mesurer le taux d'alcool est de se servir des lectures de densité. Il est toujours recommandé de faire une lecture initiale de la densité du moût et de l'inscrire sur une fiche de vinification. À la fin de la fermentation (on peut même attendre jusqu'au moment de l'embouteillage), on fait une nouvelle lecture de la densité et on soustrait la seconde de la première. Le résultat obtenu doit être divisé par un diviseur qui dépend de la densité initiale (voir le tableau ci-dessous).

Prenons un exemple.

1. lecture initiale : 1,085 ; 2. lecture finale : 0,990. On procède à la soustraction (1,085 - 0,990 = 0,095 ou 95) et on divise par 7,43, qui est le diviseur approprié selon le tableau ci-dessous : (95/7,43 = 12,78 %). Le taux d'alcool est donc de 12,8 % d'alcool par volume (chiffre arrondi).

Diviseurs (selon la densité initiale)

Densité initiale	Diviseur	Densité initiale	Diviseur
1,005	7,73	1,085	7,43
1,010	7,71	1,090	7,41
1,015	7,69	1,095	7,39
1,020	7,67	1,100	7,37
1,025	7,66	1,105	7,35
1,030	7,64	1,110	7,34
1,035	7,62	1,115	7,32
1,040	7,60	1,120	7,30
1,045	7,58	1,125	7,28
1,050	7,56	1,130	7,26
1,055	7,54	1,135	7,24
1,060	7,52	1,140	7,22
1,065	7,50	1,145	7,20
1,070	7,49	1,150	7,19
1,075	7,47	1,155	7,17
1,080	7,45	1,160	7,15

Déterminer le taux d'alcool sans densité ni PA au départ

Le vinificateur amateur peut parfois oublier de prendre la densité initiale (et encore plus le potentiel d'alcool — PA). En soi, ce n'est pas un drame : on peut fort bien boire un vin dont on ne connaît pas le taux d'alcool ni la quantité de sucre résiduel !

Par contre, il se peut que, pour une raison ou pour une autre, on veuille absolument connaître le taux d'alcool d'un vin.

Nous vous proposons une méthode facile, peu coûteuse et efficace. Pour y parvenir, il suffit de mesurer la densité du vin dont on veut connaître le taux d'alcool et de faire une expérience assez simple.

Cette expérience consiste à prendre 125 ml (une demi-tasse) de vin à une température de 15 °C (59 °F) ; on mesure sa densité, qu'on appelle Di (densité initiale). On le fait ensuite bouillir à feu doux dans un contenant en acier inoxydable (ou en verre) jusqu'à ce que le volume soit réduit de moitié environ : l'alcool contenu dans le vin devrait alors normalement s'être complètement évaporé. On ajoute ensuite de l'eau pour que le volume du liquide soit à nouveau de 125 ml (comme au début de l'expérience) et on laisse refroidir l'échantillon pour abaisser sa température à 15 °C. On mesure la densité de l'échantillon, qu'on appelle Df (densité finale).

On soustrait la densité initiale (Di) de la densité finale (Df). Étant donné que l'échantillon final a perdu tout son alcool, la densité finale sera forcément plus élevée que la densité initiale, car, on l'a vu, c'est l'augmentation du taux d'alcool dans le moût qui fait baisser graduellement sa densité (la densité de l'alcool pur est de beaucoup inférieure à celle de l'eau : 0,792 contre 1,000). Ainsi, la lecture sera forcément positive. Par exemple, on pourrait obtenir : Df = 1,010 ; Di = 0,994. On soustrait donc 0,994 de 1,010 et on obtient 0,016 ou 16. Une fois cette réponse obtenue, il suffit de consulter la table de conversion ci-dessous pour connaître le taux d'alcool de l'échantillon de départ. Dans ce cas-ci, c'est-à-dire avec une différence de 16, le taux d'alcool est de 12,3 %.

Table de conversion

Df - Di	Taux d'alcool (%)	Df - Di	Taux d'alcool (%)
1,5	1,0	14	10,5
2	1,3	15	11,4
3	2,0	16	12,3
4	2,7	17	13,2
5	3,4	18	14,1
6	4,1	19	15,1
7	4,9	20	16,0
8	5,6	21	17,0
9	6,4	22	18,0
10	7,2	23	19,0
11	8,0	24	20,0
12	8,8	25	21,0
13	9,7	26	22,0

L'échelle de densité Brix (ou Balling)

Dans l'industrie, que ce soit en France ou aux États-Unis, on utilise plus fréquemment l'échelle de densité Brix (appelée aussi échelle Balling) plutôt que l'échelle de densité spécifique. Dans les deux cas, l'échelle est basée sur la résistance au poids à un certain liquide, mais les graduations ne sont pas les mêmes. La majorité des densimètres offrent cette échelle.

Pour vous faciliter la tâche nous vous présentons en page suivante un tableau comparatif où apparaissent en vis-à-vis l'échelle de densité spécifique et l'échelle Brix (ou Balling), de même que la quantité de sucre en grammes par litre pour chacune des densités énumérées et le potentiel d'alcool associé à chacune.

En plus, ce tableau permettra de connaître la quantité de sucre (ou de dextrose) qu'il faut ajouter si on veut augmenter le taux d'alcool une fois la densité prise (à la condition, il va de soi, de relancer la fermentation !).

Dans le même tableau, on trouvera des données d'équivalence entre le volume d'alcool canadien et le volume « Proof » états-unien (le Proof correspond au double de la mesure canadienne d'alcool).

Tests divers

Déterminer le taux d'acidité

Quand on veut déterminer le taux d'acidité d'un moût, il est important de savoir que cette opération ne peut normalement se faire pendant la période de fermentation, étant donné que la présence de gaz carbonique (un gaz acide) peut fausser la lecture. Si on doit le faire au cours de cette période, deux solutions s'imposent : soit qu'on soumette l'échantillon à un vide partiel au moyen d'une pompe destinée à cet usage (ce qui n'est pas à la portée de tous), soit qu'on fasse chauffer l'échantillon

La vinification

Densité spécifique	Brix	Sucre G/L	Potentiel d'alcool (%)
1,000	0,0		
1,005	1,3	15	0.8
1,010	2,6	27	1.5
1,015	3,9	39	2,2
1,020	5,2	51	2,8
1,025	6,5	63	3,5
1,030	7,8	75	4,2
1,035	9,1	87	4,8
1,040	10,4	99	5,5
1,045	11,7	111	6,2
1,050	13,0	123	6,8
1,055	14,3	135	7,5
1,060	15,6	147	8,2
1,065	16,9	159	8,8
1,070	18,2	171	9,5
1,075	19,5	183	10,2
1,080	20,8	195	10,8
1,085	22,1	207	11,5
1,090	23,4	219	12,2
1,095	24,7	231	12,8
1,100	26,0	243	13,5

Alcool/volume Canada %	Proof U.S.
5	10
10	20
15	30
20	40
25	50
30	60
35	70
40	80
45	90
50	100
55	110
60	120
65	130
70	140
75	150
80	160
85	170
90	180
95	190
100	200

En vinification, on constate que 18 g de sucre par litre donne environ 1 degré d'alcool. La quantité de sucre en grammes par litre tient compte des matières infermentescibles contenues dans le vin.

pendant 5 ou 10 minutes à feu doux pour permettre au gaz carbonique (CO_2) de s'échapper.

L'hydroxyde de sodium

Il y a plus d'une façon de déterminer le taux d'acidité dans un vin. On peut le faire à partir d'appareils très coûteux, mais pour les besoins de l'amateur, les trousses vendues aux environs de 10 $ chez les détaillants de jus suffisent amplement.

Cette trousse comprend une solution d'hydroxyde de sodium, de la phénoltanéine pour la coloration, une éprouvette pour faire le test, et deux seringues.

La façon de procéder n'est pas tout à fait la même pour les vins blancs et pour les vins rouges. Pour les vins blancs, on soutire avec une des seringues 15 cc de moût qu'on met dans l'éprouvette, puis on y ajoute deux ou trois gouttes de phénoltanéine.

Avec l'autre seringue, on soutire 10 cc d'hydroxyde de sodium qu'on met dans l'éprouvette 1 cc à la fois. Après chaque ajout, on agite un peu l'échantillon et on surveille la couleur. On arrête quand l'échantillon devient rouge. On note ensuite le nombre de centimètres cubes (cc) d'hydroxyde de sodium que l'on a mis dans l'éprouvette. Chaque centimètre cube équivaut à un gramme d'acide. Ainsi, si on a versé 6 cc d'hydroxyde de sodium, cela signifie que notre vin contient 6 grammes d'acide par litre de vin.

Pour les rouges, on procède de la même façon à cette particularité près qu'il n'est pas nécessaire d'utiliser de la phénoltanéine pour colorer l'échantillon. Le vin rouge passera de rouge à brun foncé/noir quand on ajoutera l'hydroxyde de sodium. Si le vin est vraiment très foncé, on peut l'éclaircir en y ajoutant le double d'eau (30 cc) sans que cela ait le moindre effet sur le résultat final de l'expérience. En procédant de cette façon, on pourra mieux voir le changement de couleur.

L'hydroxyde de sodium et le pH-mètre

Si vous disposez d'un pH-mètre, l'opération est encore plus facile puisque vous n'avez qu'à ajouter de l'hydroxyde de sodium jusqu'au moment où le pH-mètre indique 7 à l'échelle. Vous notez alors la quantité d'hydroxyde de sodium que vous avez utilisée et calculez alors le taux d'acidité de la même façon que ci-dessus: chaque centimètre cube (cc) équivaut à un gramme d'acide par litre.

Déterminer le taux de sucre résiduel

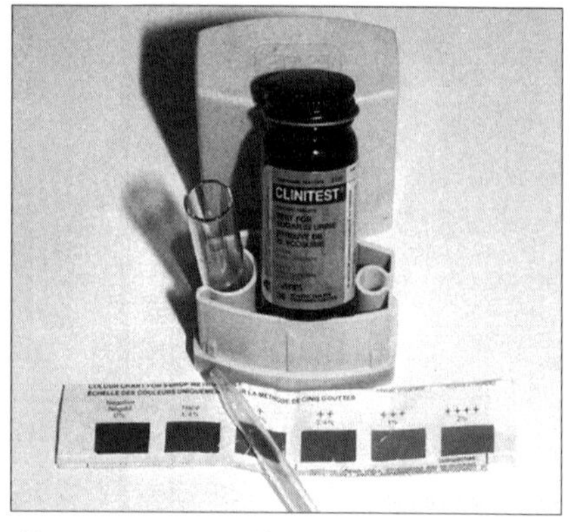

On se procure la trousse Clinitest en pharmacie.

Il est facile pour le vinificateur amateur de se procurer une petite trousse de vérification du taux de sucre résiduel contenu dans le vin. Il s'agit tout simplement d'aller à la pharmacie et de demander une trousse de vérification de taux de sucre qu'utilisent les diabétiques. Cette trousse, le Clinitest, ne coûte pas très cher et est très efficace. Elle contient des petits comprimés (qu'il faut préserver de l'humidité et garder dans leur contenant d'origine), et l'expérience à faire est très simple. Au moyen du compte-gouttes (fourni avec la trousse), on met d'abord 5 gouttes de vin dans l'éprouvette (fournie elle aussi) puis on y ajoute 10 gouttes d'eau et on agite le tout. Ensuite, on y met un comprimé, on attend 15 secondes puis on remue légèrement. La solution prend alors une coloration qu'on peut facilement comparer avec l'échelle de couleurs fournie par le fabricant. À 2 % de sucre résiduel, la solution vire à l'orange brûlé alors qu'à 0 % elle est bleu-noir, par exemple.

Déterminer le taux de métabisulfite

Nécessaire pour déterminer le taux de métabisulfite.

Il existe une trousse, commercialisée sous le nom de Titrets, par CHEMetrics, qui permet d'évaluer avec une relative précision le taux de métabisulfite contenu dans le vin.

Cette trousse, qui permet de faire 10 tests, contient :

1. une ampoule scellée qui contient un produit chimique à base d'iode ;
2. un tube flexible de caoutchouc qui servira à briser la tige de l'ampoule pour qu'on puisse y introduire le vin qu'on désire tester dans le contenant ;
3. un étui (ou un moule) en plastique dans lequel on place l'ampoule et qui permet, par pressions successives de faire pénétrer dans l'ampoule le vin à tester.

L'opération est un peu complexe pour qui s'y essaie pour la première fois, mais relativement simple dès qu'on l'a pratiquée à quelques reprises. Il faut surtout éviter que de l'air ne pénètre dans l'ampoule. Il est donc essentiel que la tige de l'ampoule soit dans le vin que l'on veut tester au moment où on brise le tube réservé à cet effet.

Le test se déroule de la façon suivante.

- Dans un premier temps, on glisse le tube de caoutchouc dans la tige de l'ampoule.
- Ensuite, on glisse l'ampoule dans l'étui (ou le moule) de plastique. Cet étui servira non seulement de support pour manipuler l'ampoule, mais aussi pour briser la tige et faire pénétrer le vin dans l'ampoule.
- Au moyen d'un mécanisme logé dans l'étui, on brise la tige, qui aussitôt aspire le vin.

- Par pression sur le levier situé sur l'étui, on fait pénétrer goutte à goutte le vin dans l'ampoule.
- On procède à petites doses jusqu'à ce qu'on retrouve la couleur originale du vin testé. Le vin rouge, qui était noirâtre au début, redevient rouge ; le vin blanc, quant à lui, passe de grisâtre à ambré.
- Quand la couleur obtenue est identique à celle de l'échantillon, on retire l'ampoule, on la soulève, tige vers le haut, et on fait la lecture sur l'échelle graduée qui apparaît sur l'ampoule. Le niveau atteint indique le nombre de parties par million de SO_2 libre que contient le vin.

Modifier le taux d'alcool dans un vin

Il se peut que vous vouliez augmenter le taux d'alcool dans un vin (ou peut-être le diminuer). La meilleure façon d'y parvenir est de faire des mélanges. On peut, par exemple mêler deux vins, l'un ayant un taux d'alcool élevé, l'autre un taux plus faible. On peut aussi utiliser de l'alcool pur destiné à la consommation (la vodka peut aussi faire l'affaire) et mélanger une certaine partie avec le vin.

Le carré de Pearson

La question est de savoir quelle quantité ajouter pour obtenir le taux désiré. Il est possible de le déterminer avec précision si on utilise le carré de Pearson. Il s'agit d'une méthode simple quand on l'a sous les yeux pour l'appliquer.

Imaginons un vin (que nous appellerons B) ayant un taux d'alcool de 10 % et que nous voulons augmenter à 20 % (un taux que nous appellerons C) pour en faire un apéritif, par exemple. Supposons aussi que nous disposons d'un alcool de consommation dont le taux (A) est de 40 %.

La question est de savoir quelle quantité d'alcool devra être mélangée au vin pour arriver au résultat souhaité. Le carré de Pearson est illustré ci-dessous.

taux d'alcool (%)
du produit le plus alcoolisé

D
C-B
quantité du produit
le plus alcoolisé

C
taux d'alcool (%) souhaité

B
taux d'alcool (%)
du produit le moins alcoolisé

E
A-C
quantité du produit
le moins alcoolisé

Nous disposons donc de trois mesures, trois taux d'alcool (en %) :

A (alcool) = 40
B (vin) = 10
C (souhaité) = 20

Pour connaître la réponse à notre question, il suffit simplement d'appliquer les formules de soustraction qui se trouvent à droite de A et de B, indiquées par les lettres D et E :

si D = C - B, cela donne : 20 -10 = 10
si E = A - C, cela donne : 40 - 20 = 20

La réponse que l'on cherchait est : il faut 10 parties d'alcool à 40 % (A) et 20 parties de vin à 10 % (B) pour obtenir un vin à 20 % (C).

A = 12 (20 litres) taux d'alcool (%) du produit le plus alcoolisé	D (C-B) quantité du produit le plus alcoolisé
C taux d'alcool (%) souhaité	
B = 8 (10 litres) taux d'alcool (%) du produit le moins alcoolisé	E (A-C) quantité du produit le moins alcoolisé

Connaître le taux d'alcool d'un mélange quelconque

Il arrive aussi qu'on veuille connaître le taux d'alcool d'un mélange quelconque. Si, par exemple, 20 litres de vin à 12 % d'alcool ont été mélangés à 10 litres de vin à 8 %, quelle sera la teneur en alcool du mélange ?

En utilisant le carré de Pearson, on obtiendra les données suivantes :

La formule qui nous permettra de trouver la réponse ici est un peu plus complexe, particulièrement pour ceux qui n'ont pas fait d'algèbre depuis longtemps. Mais si vous suivez les étapes expliquées ici, vous n'aurez aucun problème.

Reprenons donc la formule du carré de Pearson : D = C - B.

On connaît la valeur de D (20 l) et celle de B (8 %). On a donc 20 = C - 8.

Si on veut faire le calcul pour un litre, la formule devient :

$$\frac{20}{20} = \frac{C - 8}{20} \text{ donc } 1 = \frac{C - 8}{20}$$

Par ailleurs, comme on sait que E = A - C, et qu'on connaît la valeur de E (10 l) et celle de A (12 %), on peut écrire :

$$10 = 12 - C.$$

Si on fait le calcul pour un litre, on obtient :

$$\frac{10}{10} = \frac{12 - C}{10} \text{ donc } 1 = \frac{12 - C}{10}$$

On peut donc écrire :

$$\frac{C - 8}{20} = \frac{12 - C}{10} = 1$$

Pour trouver la valeur de C (le taux d'alcool du mélange), on n'a qu'à résoudre l'équation de la façon suivante :

$$\frac{C - 8}{20} = \frac{12 - C}{10}$$

$$\frac{\cancel{20} \times (C - 8)}{\cancel{20}} = \frac{(12 - C) \times 20}{10}$$

$$C - 8 = 2(12 - C)$$

$$C - 8 = 24 - 2C$$

$$C - \cancel{8} + \cancel{8} = 24 - 2C + 8$$

$$C = 32 - 2C$$

$$C + 2C = 32 - \cancel{2C} + \cancel{2C}$$

$$3C = 32$$

$$C = \frac{32}{3}$$

$$C = 10{,}7\ \%$$

CHAPITRE 8

Cépages et vins maison

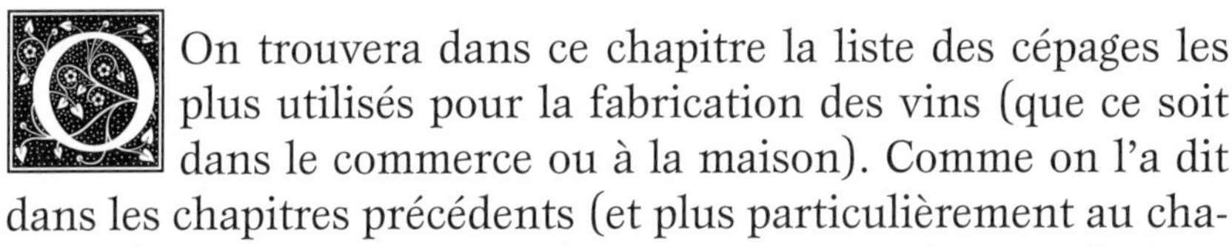

On trouvera dans ce chapitre la liste des cépages les plus utilisés pour la fabrication des vins (que ce soit dans le commerce ou à la maison). Comme on l'a dit dans les chapitres précédents (et plus particulièrement au chapitre 5), il n'y a pas de législation concernant les appellations dans le domaine du vin maison. Par exemple, si on a interdit aux producteurs de moûts d'utiliser les termes «bordeaux» et «bourgogne», on ne peut les empêcher de contourner l'interdiction en utilisant l'expression: «type bourgogne» ou «type bordeaux».

Dans les faits, cela ne signifie pas que le moût en question vient du Bordelais ou de Bourgogne, mais qu'il offre une certaine «ressemblance» avec le vin de Bourgogne ou de Bordeaux. Ces moûts ou concentrés sont, dans la plupart des cas, élaborés avec des cépages qui ont peu à voir avec le cabernet-sauvignon, qui constitue le cépage de base des vins de Bordeaux, ou le pinot noir, qui sert à élaborer beaucoup de vins de Bourgogne. Tel vin de type bordeaux sera élaboré avec un cépage plus commun, comme le carignan, dont la production est l'une des plus importantes du monde, ou encore, s'il s'agit d'un vin blanc, à partir de l'ugni blanc, lui aussi cultivé sur une très large échelle (il occupe la quatrième place au classement mondial).

À vrai dire, les producteurs de moûts achètent le raisin en vrac sur le marché mondial. Leur objectif: obtenir la qualité au meilleur prix possible. Ils y parviennent ces temps-ci avec d'autant plus de facilité que la culture du raisin a connu une croissance phénoménale depuis un quart de siècle et qu'il y a une surproduction mondiale de raisin y compris celle des grands cépages classiques. Plusieurs pays, qui autrefois s'en tenaient à une viticulture locale, sont devenus des producteurs internationaux extrêmement compétitifs : l'Australie, le Chili, l'Argentine, la Californie, la Russie, etc.

Dans ce chapitre, vous trouverez les cinquante cépages les plus utilisés ou les plus connus pour la fabrication des vins [1]. Il ne s'agit pas d'une liste exhaustive, loin de là. Vous y trouverez cependant tous les grands cépages classiques et les cépages semi-classiques, en plus des 20 cépages les plus vendus dans le monde. Certains vous seront connus, d'autres moins. Par exemple, sait-on que le airén est le plus cultivé dans le monde ? Ou encore que le thompson seedless — dont on fait les raisins secs (ce sont les fameux Sultana) — sert fréquemment à produire un vin de coupage utilisé dans la fabrication des concentrés ? Vin passablement neutre, il atténue l'âpreté des concentrés élaborés à partir de cépages au goût trop marqué.

Les cépages présentés ici — on l'a déjà signalé antérieurement — donnent des résultats différents selon qu'ils sont produits dans telle ou telle région du monde. La vigne s'adapte à tous les climats tempérés, mais elle produit des raisins en fonction de l'ensoleillement et de la nature particulière du sol. Les différences pour un même cépage peuvent être considérables, parfois même rendre le vin méconnaissable d'une région à une autre. C'est le cas, on le verra plus loin, par exemple pour le melon de Bourgogne — dont on se sert pour fabriquer le muscadet — qui se transforme littéralement (et pour le meilleur !) lorsqu'il émigre en Californie. D'autre part, on constatera aussi

1. Les auteurs de ce volume tiennent à remercier M. Anthony J. Hawkins qui nous a permis d'utiliser les informations données sur Internet (*The Super Gigantic WWW Winegrape Glossary* : http//www.speakeasy.org/winepage/cellar/wgg.html).

que certains cépages plutôt moyens peuvent donner des vins exceptionnels lorsqu'ils sont vinifiés avec grand soin (ou lorsqu'on retarde les vendanges).

On comprendra dès lors qu'il nous est difficile, voire impossible de donner une information précise sur le moût que l'amateur désire acheter. Tel moût fabriqué par tel producteur sera absolument différent d'un moût portant le même nom fabriqué par son concurrent. Et cette différence peut même exister pour un même moût venant de la même région et élaboré lors des mêmes vendanges. Ils suffit simplement que le premier producteur ait choisi avec soin ses raisins, qu'il les ait transportés (ou les ait traités sur place) dans des conditions optimales de préservation, qu'il les ait coupés avec des moûts qui les complètent bien pour qu'il obtienne un moût d'excellente qualité, alors que le deuxième producteur aura procédé avec moins de soin.

Ainsi, si vous voulez connaître les meilleurs choix pour fabriquer votre vin, il faut trouver le détaillant qui saura bien vous renseigner sur les produits disponibles. Il importe cependant de savoir que, comme partout ailleurs, il y a une compétition très forte sur le marché du vin maison. Les grossistes cherchent à gagner la fidélité des détaillants (et même à leur faire signer des contrats d'exclusivité par franchise ou autrement). Cela est normal et ne change rien au fait que le détaillant doit être en mesure de vous donner les informations pertinentes sur les produits qu'il vend en magasin. C'est son rôle de le faire. N'hésitez donc pas à lui poser des questions autant sur les procédés de fabrication du produit que sur la manière d'en tirer les meilleurs résultats.

Cinquante cépages pour faire le vin

• AIRÉN (rouge et blanc, commun) : peu de gens savent que l'airén est le cépage le plus cultivé du monde. Réparti sur plus de un million d'acres dans la région de la Mancha, en Espagne, le airén sert autant à la fabrication du vin rouge que du vin blanc. Il y a 10 ou 20 ans, c'était un vin vraiment trop alcoolisé et d'une qualité douteuse. Depuis le début des années quatre-vingt, on a décidé de le traiter avec plus d'égard et de le faire fermenter selon des méthodes modernes. Les résultats ont été surprenants : on a obtenu des vins francs, fruités et moyennement corsés. Pour diminuer son fort taux d'alcool et le réduire à 13 % ou 14 %, on fait les vendanges à la fin du mois d'août.

Le airén sert à alléger les vins rouges trop épais et lourds.

• ALICANTE BOUSCHET (rouge, commun) : ce cépage a été développé au XIXe siècle par Bouschet père et fils pour servir de raisin teinturier (c'est-à-dire pour colorer les vins rouges). De ce point de vue, c'est une réussite spectaculaire. À cause de cela — et parce qu'il a un fort son rendement —, l'alicante bouschet a déclassé à peu près tous ses concurrents. Il occupe la 11e place au classement mondial. On le retrouve en Europe, en Afrique du Nord, en Californie.

Ce n'est pas un grand cépage, loin de là. Il donne des vins sans personnalité, plutôt mous et de couleur instable.

• ALIGOTÉ (blanc, semi-classique) : c'est le cousin pauvre du chardonnay, même si certains sont des inconditionnels du bourgogne aligoté. On lui reproche son excès d'acidité et son manque de corps. L'aligoté est cultivé aussi en Europe de l'Est et en Californie où il sert principalement à faire des *coolers*.

• BARBERA (rouge, commun) : vin du Piémont (Italie), il a été introduit aux États-Unis vers la fin du XIXe siècle. C'est un vin lourd, peu tannique et à la robe foncée. On prétend que si ce cépage était cultivé dans une région plus froide que celle de San Jaoquin en Californie, il pourrait donner d'excellents vins. Preuve est faite du reste que, cultivé dans des conditions optimales il produit des vins de grande qualité.

Dans les faits, il sert surtout actuellement comme vin de coupage pour donner plus de puissance à certains vins trop discrets.

• BOBAL (rouge, commun) : ce cépage rouge est cultivé en grande quantité en Espagne. Il donne des vins d'un rouge très profond. Il est surtout utilisé comme vin de coupage, entre autres pour la production des concentrés et des semi-concentrés.

• CABERNET FRANC (rouge, semi-classique) : c'est le cousin un peu méprisé du cabernet-sauvignon. Même s'il n'est pas très riche en tannin et en acidité, il produit des vins très aromatiques et très agréables à boire. On lui reconnaît un goût de framboise et de violette et une richesse qui disparaît malheureusement lorsqu'il est associé à d'autres vins, particulièrement le cabernet-sauvignon.

C'est du reste le rôle qu'il joue en Californie où le cabernet-sauvignon est infiniment mieux coté. C'est un peu dommage, car ce cépage a certainement beaucoup plus de potentiel qu'on ne en lui reconnaît présentement.

• CABERNET-SAUVIGNON (rouge, classique) : noble, le cabernet-sauvignon est le cépage de base de la plupart des grands vins de Bordeaux. Sa saveur, sa structure, sa complexité et son potentiel de longévité en font un vin de garde. Il montre souvent un équilibre qu'on ne retrouve nulle part ailleurs, mais il faut attendre 5 à 10 ans avant de boire les plus grands vins issus de ce cépage. En nez, il dégage des parfums multiples : cerise, cerise noire, cassis, framboise avec des relents de poivron et même de tabac.

Aux États-Unis, ce cépage se répand de plus en plus. On le retrouve autant sur la côte Est (région de Long Island) qu'en Californie où il produit d'excellents vins dans les régions les plus tempérées. Dans les régions chaudes de la Californie, son taux d'alcool est parfois trop élevé et l'acidité trop peu présente. Le cabernet-sauvignon est produit dans plusieurs pays du monde : Australie, Argentine, Chili, Italie et Nouvelle-Zélande.

• CARIGNAN (rouge, semi-classique) : c'est sans doute le cépage qui produit le plus de vin rouge dans le monde (même s'il n'occupe que la 5e place au classement mondial) et celui qui alimente le plus de producteurs de concentrés et semi-concentrés. Le carignan donne un vin fortement coloré et riche en tannin et en alcool. Il sert à donner du corps à des vins qui en ont moins.

• CHARDONNAY (blanc, classique) : connu aussi sous le nom de pinot-chardonnay, ce cépage croît massivement en Champagne où il sert à faire les blancs de blancs. On le retrouve aussi dans les régions de Chablis et en Bourgogne. Il sert de cépage de base au mâcon, au meursault, au montrachet et au pouilly-fuissé.

Depuis 20 ans, il est devenu la coqueluche des viticulteurs. Doté d'une bonne acidité, il dégage des arômes de pomme, de citron, de melon et d'ananas et des saveurs de beurre, de noisette ou de vanille. En outre, il se garde bien en cave pendant plusieurs années.

La demande est telle pour le chardonnay que son prix en devient presque prohibitif. Facile à cultiver, il voyage partout à travers le monde, particulièrement en Australie et en Afrique du Sud.

Aux États-Unis, il produit des vins très typés aux saveurs fruitées et citronnées. Le chardonnay est un vin qui gagne à être produit en fût de chêne. Il est aussi un des rares vins blancs à tirer profit de la fermentation malo-lactique.

• CHASSELAS (blanc, peu cultivé) : on le trouve en Suisse, en France et en Nouvelle-Zélande. C'est surtout un vin suisse qui porte aussi le nom de perlan.

• CHENIN BLANC (blanc, semi-classique) : ce cépage, fort répandu en France, est aussi connu sous le nom de pineau de la Loire. Nerveux et vif, il dégage des parfums intenses de fleurs, de citron et même de melon. Il donne des vins remarquables et variés, depuis le vin liquoreux jusqu'au vin sec. Il fait aussi d'excellents mousseux.

Quand il quitte la France, le chenin blanc voyage plutôt mal. Il perd une grande partie de ses qualités exceptionnelles pour devenir un bon vin de table. Malgré tout, il est cultivé presque partout à travers le monde : Afrique du Sud (où il sert à faire le xérès, le porto et le cognac), Nouvelle-Zélande, Australie (où on l'appelle, par erreur, sémillon), Argentine, Chili, États-Unis, etc.

• CINSAULT (rouge, semi-classique) : cépage du sud de la France. Il est utilisé en assemblage pour la fabrication des côtes-du-Rhône. Il est populaire au Liban et en Afrique du Sud où il est utilisé pour fabriquer du vin de table.

• CLAIRETTE RONDE : voir UGNI BLANC.

• COLOMBARD (blanc, commun) : cépage en perte de vitesse dans la région de Charente, le french colombard est très populaire aux États-Unis où il sert à fabriquer des vins fruités secs et demi-secs et des vins d'assemblage. C'est avec lui qu'on fabrique les coolers et les champagnettes. Il est parfois coupé avec le chenin blanc. Ce n'est pourtant pas un mauvais vin : de bonne acidité, il produit un vin vif, un peu épicé et aux notes fleuries.

• CÔT (rouge commun) : ce vin, appelé aussi malbec, sert surtout à l'assemblage des vins de Bordeaux pour produire le clairet. Riche en tannin, en arôme et en pigments, il complète admirablement les vins plus légers. Il fait également la gloire de la région de Cahors qui en a fait son vin fétiche. Il est cultivé au Chili, en Argentine et en Australie.

• FOLLE BLANCHE (blanc, peu cultivé) : cépage utilisé surtout pour la distillation et la fabrication du cognac. Apparenté au gros plant, cépage qui sert à l'élaboration du muscadet dans l'ouest de la région de la Loire.

• FRENCH COLOMBARD : voir COLOMBARD.

• GAMAY (rouge, semi-classique) : c'est le cépage privilégié du Beaujolais. Il donne des vins à la robe pourpre, contenant une acidité assez élevée mais peu de tannin. Il est surtout caractérisé par un arôme où éclatent tous les fruits. Il ne peut se comparer au pinot noir de la région, mais il n'en demeure pas moins un excellent cépage dont le temps de garde n'est pas à négliger.

Ne pas confondre avec le napa gamay (voir plus loin).

• GARNACHA : voir GRENACHE.

• GEWURZTRAMINER (blanc, classique) : célèbre cépage d'Alsace, issu du traminer. Il donne un vin puissant, bien structuré, élégant et au nez intense. Il porte bien son nom (*gewürz* signifie « épice »), car il est effectivement épicé en plus de dégager des arômes de litchi et de lavande, arômes rehaussés d'effluves de clous de girofle et de muscade.

En Europe, il est cultivé en Italie du Nord (on croit que le traminer a été d'abord planté en Italie), en Autriche et en Allemagne. Il est aussi planté dans les pays de l'Est (Slovénie, Hongrie, Roumanie, République tchèque) de même qu'en Nouvelle-Zélande et en Australie.

Aux États-Unis, il ne donne pas toujours d'excellents résultats, particulièrement dans les régions chaudes où son taux d'acidité descend trop bas.

• GRENACHE (rouge, commun) : le grenache est le deuxième cépage le plus cultivé du monde et il occupe la première place en Espagne (où on le connaît sous le nom de garnacha). Ce vin est souvent utilisé comme vin de coupage. Bien qu'il soit d'un rouge léger, il a une solide charpente et donne des vins de 15 % à 16 % de teneur en alcool. Ce cépage est aussi cultivé dans le sud de la France et en Californie. Il est du reste utilisé, avec le mourvèdre et le cinsault, pour la fabrication du fameux châteauneuf-du-pape. Il sert aussi à fabriquer plusieurs côtes-du-Rhône.

• JOHANNISBERG RIESLING : voir RIESLING.

• JURANÇON (rouge, peu cultivé) : ce cépage, élevé dans la région de Cahors, à l'est de Bordeaux, sert à produire des vins locaux. Utilisé avec le malbec et le merlot, il donne de bons vins robustes et appréciés à l'arôme prononcé. Seul, il produit des vins âpres de couleur très foncée.

• LEMBERGER ou LIMBERGER (rouge, peu cultivé) : ce cépage qu'on cultive en Autriche sous le nom de blaufränkisch (ou blauer lemberger/limberger) est aussi cultivé dans l'État de Washington. Il donne des vins à la robe qui va du rose pâle au rubis clair. Son acidité est élevée et son arôme épicé exubérant.

• MALBEC (rouge, commun) : voir CÔT.

• MALVASIA (commun, blanc) : un des plus vieux cépages connus. Il vient d'Asie mineure et doit son nom à un port du sud de la Grèce: Monemvasia. C'est un excellent cépage cultivé à travers le monde, mais qui est en nette perte de vitesse parce qu'on lui préfère l'ugni blanc, lequel donne des vins de table qu'on peut boire rapidement. C'est dommage car ce vin, qui sert aussi à la fabrication des portos, vieillit fort bien et a beaucoup plus de classe que l'ugni blanc.

MALVOISIE (commun, blanc) : c'est un très bon cépage qui, à l'heure où on boit les vins jeunes et légers, est malheureusement en perte de vitesse. Pourtant, il est cultivé à travers toute l'Europe sans doute parce que, avec le muscat, il est un des plus vieux cépages connus.

• MATARO : voir MOURVÈDRE.

• MELON DE BOURGOGNE (blanc, semi-classique) : plus connu sous le nom de muscadet, le melon de Bourgogne (qu'on ne trouve presque plus en Bourgogne !) croît particulièrement bien dans la région de la Loire où on produit le fameux muscadet de Sèvre-et-Maine souvent vieilli sur lie. Il produit un vin très sec, avec un léger bouquet floral. On le boit jeune, car il vieillit mal.

On le cultive en Californie, sous le nom de pinot blanc. Transplanté dans un autre climat, élevé avec des méthodes très modernes, le pinot blanc de Californie est si différent de son cousin français que c'en est renversant. Il donne des vins riches, surprenants et capables de se bonifier pendant quelques années.

• MERLOT (rouge, classique) : considéré comme inférieur au cabernet-sauvignon, le merlot n'en reste pas moins un très grand cépage. Il ne faut jamais oublier que le merlot compte pour 95 % dans l'élaboration du grand Château Petrus ! Fruité, ample et suffisamment tannique, dégageant des parfums de cassis, de cerise et de menthe, le merlot se suffit à lui-même bien qu'il se marie fort bien avec le cabernet-sauvignon.

Le merlot ne voyage pas aussi facilement à travers le monde que le cabernet-sauvignon. On le retrouve un peu partout (Europe de l'Est, Nouvelle-Zélande, Chili, Argentine, Californie), mais en moins grande quantité. Il est surtout cultivé en Italie où il donne de très bons vins.

En Californie, il est parfois confondu — ce qui un peu surprenant — avec le cabernet franc.

• MISSION (rouge, commun) : ce cépage est l'un des premiers à avoir été importé en Amérique. Il a été planté dans l'État de Californie au XVIIe siècle par les jésuites espagnols (d'autres disent des franciscains !). Il donne un vin peu charpenté, mais assez fort en alcool. Il pousse au Chili sous le nom de pais. On croit qu'il est issu du cépage monica qui croît en Espagne et en Sardaigne. Il donne un vin plutôt ordinaire qui est abondamment cultivé un peu partout dans le monde et particulièrement en Amérique. Il occupe le 6e rang au classement mondial. Il sert de vin de coupage.

• MONASTRELL (rouge, commun) : C'est le deuxième plus important cépage en Espagne, après le grenache. Il est 9e au classement mondial. Le monastrell offre l'avantage d'une culture facile : il résiste à tout y compris au phylloxéra ! Il supporte bien les climats chauds. Il donne de petits raisins très sucrés qui produisent des vins fort alcoolisés, un peu mous et peu colorés.

• MONTEPULCIANO (rouge, commun) : originaire de Toscane, le montepulciano est cultivé partout en Italie, mais plus particulièrement dans le centre et le sud du pays. Pas trop acide, plutôt tannique, doté d'une robe aux couleurs profondes et riches, dégageant des parfums de mûre agrémentés de relents de poivre et d'épices, il donne des vins souples et moelleux capables de vieillir en beauté.

Il est souvent assemblé avec le sangiovese pour produire un vin fruité, aux arômes agréables, rond et parfaitement balancé. C'est un très bon cépage.

• MOURVÈDRE (rouge, commun) : c'est un cépage qui croît surtout dans le sud de la région du Rhône. Il est utilisé pour donner du corps et de la couleur aux vins à la robe trop pâle. Il est peu cultivé en Californie, où il porte parfois le nom de mataro. En Amérique, on lui attribue un goût herbacé de thé vert que les Français qualifie d'« animal ».

• MOSCATO : voir MUSCAT.

• MÜLLER-THURGAU (blanc) : cépage métissé entre le riesling et le sylvaner, le müller-thurgau, qui est le cépage le plus cultivé en Allemagne, a essaimé à travers le monde. Il constitue le cépage de base de la Nouvelle-Zélande. Il occupe une place de choix en Hongrie et en Autriche. Il donne un vin un peu décrié auquel on reproche son goût animal (odeur de chat ou de souris, prétendent certains !). On en trouve peu en Amérique du Nord.

• MUSCADET : voir MELON DE BOURGOGNE.

• MUSCAT (blanc ou rouge, semi-classique) : appelé en France muscat de frontignan et en Italie moscato di Canelli, ce cépage très parfumé et au goût très prononcé (reconnaissable entre tous) occupe le 8e rang sur le plan de la production mondiale. Il donne des vins semi-doux ou sucrés. Il peut aussi servir à la fabrication de vins rouges et de vins blancs. À noter qu'il existe une grande variétés de muscats : le muscat d'Alexandrie, le muscat ottonel et le muscat de Hambourg. Ils appartiennent tout à la même famille.

• NAPA GAMAY (rouge, commun) : le napa gamay (ou gamay 15) est cultivé dans les régions de Monterey et de Napa Valley où il donne d'excellents vins. Il faut cependant être prudent : le napa gamay a été classé par les œnologues comme étant un clone [2] du pinot noir et non pas du gamay. Il s'appelle aussi gamay noir, gamay beaujolais. Il donne un vin riche, lourd et très coloré. Dépendant des producteurs, il est vendu sous différentes appellations (soit gamay, soit pinot noir).

• NEBBIOLO (rouge, semi-classique) : cultivé surtout en Italie, ce grand cépage produit des vins qui sont considérés comme les meilleurs du monde. Pourtant, le cépage est peu cultivé à travers le monde, ce qui est dommage.

2. Le clonage est une méthode moderne de reproduction des cépages. Il s'agit de développer le meilleur pied de vigne d'un cépage puis de le reproduire par clonage. Les clones sont donc l'ensemble des pieds de vignes issus par bouturage d'un seul pied-mère. On pratique le clonage pour que les pieds de vigne aient exactement la même structure génétique, ce qui ne serait pas le cas si les pieds de vignes étaient issus de différents pieds-mère d'un même cépage.

• PETITE SYRAH : on a cru que la petite syrah telle qu'on la connaît en Californie n'avait rien à voir avec la syrah que l'on cultive presque uniquement dans la vallée du Rhône et en Australie. On a déjà prétendu que ce cépage était plutôt issu d'un croisement appelé durif. De nos jours, on en est beaucoup moins sûr.

Quoi qu'il en soit, la petite syrah produit un vin tannique de couleur profonde, robuste et charpenté, très poivré et parfumé avec un potentiel de garde intéressant. Un cépage intéressant qu'on peut aussi couper avec du zinfandel pour lui donner encore plus de complexité.

• PINEAU DE LA LOIRE : voir CHENIN BLANC.

• PINOTAGE (rouge, peu cultivé) : c'est l'un des cépages les plus célèbres d'Afrique du Sud. C'est un croisement de pinot noir et de cinsault. Il possède un arôme intense et donne l'impression d'avoir été rôti. C'est un vin doté d'une belle couleur et qui vieillit bien.

• PINOT BLANC (blanc, semi-classique) : peu importe les discussions qui ont lieu à propos de son origine, il semble aujourd'hui acquis que le pinot blanc est bien un parent proche du pinot noir, tout comme l'est du reste le pinot gris.

Le pinot blanc sert souvent de vin de table ou de vin de coupage. C'est un vin qui a du corps, mais qui manque d'arôme si ce n'est qu'il est légèrement épicé et dégage des effluves de muscat. Il est cultivé en France (Alsace), en Allemagne, en Italie et dans les pays de l'Est.

On le retrouve aussi au Chili et en Australie, mais dans les deux cas, il n'est pas sûr que ce soit du véritable pinot blanc.

Aux États-Unis, le pinot blanc — un excellent vin — est en fait du melon de Bourgogne (voir MELON DE BOURGOGNE).

• PINOT-CHARDONNAY : voir CHARDONNAY.

• PINOT GRIS (rouge, semi-classique) : on connaît le pinot gris depuis le Moyen-Âge, alors qu'il était cultivé en Bourgogne. Tout comme le pinot blanc, le pinot gris a du corps et peu d'arôme. Cela n'empêche pas les Italiens de l'adorer et les Hongrois de le vénérer : ils font de ce cépage un vin qui ressemble au tokay en laissant le raisin le plus longtemps possible sur la vigne.

Ailleurs, en Amérique autant qu'en Australie, le pinot gris est à peine cultivé.

• PINOT NOIR (rouge, classique) : c'est le plus grand cépage de Bourgogne. Il donne en général des vins fruités et riches au goût marqué de cerise, de fraise et de framboise, qui peuvent vieillir très longtemps (il dégage alors d'autres parfums : chocolat, venaison, figue, pruneau, truffe...). Il sert aussi à l'élaboration de mousseux en Champagne.

Il a ses inconditionnels, qui le préfèrent au cabernet-sauvignon, trop austère à leur goût. Cultivé en petite quantité à travers le monde, il a trouvé ses terres de prédilection en Australie et aux États-Unis (Californie et Oregon).

• RIESLING (blanc, classique) : cultivé surtout en Allemagne et en Autriche, ce cépage donne un vin blanc qui est l'un des meilleurs du monde bien qu'il soit interdit de culture en France ! Fruité, fin et racé, il donne des vins aux arômes fleuris et dégage en outre des parfums de pomme, d'abricot et même de pêche. Il a une bonne acidité et peut vieillir en beauté.

Ailleurs dans le monde, le riesling est souvent confondu avec d'autres cépages (le sémillon, entre autres). En Californie, il donne des vins épicés et fruités.

• RKATSITELI (blanc, commun) : étonnamment, ce cépage (venu d'Arménie et de Turquie) est l'un des plus cultivés dans le monde (3e rang) ! Il croît surtout dans les pays de l'Est et particulièrement en Russie. Il donne des vins de table qui s'apparentent au riesling et au gewurztraminer.

En Amérique, il croît dans l'est des États-Unis, principalement dans la région de Finger Lakes dans l'État de New York.

RUBY CABERNET (rouge, commun) : il s'agit d'un croisement du carignan et du cabernet-sauvignon. Cultivé particulièrement en Californie, il s'y est fort bien adapté. Le ruby cabernet sert de moût teinturier et de coupage pour la production de vin de table léger et sans prétention. Il donne un vin tannique, au goût fruité et à la robe foncée. Il est planté aussi en Argentine, au Chili, en Australie et en Afrique du Sud.

• SAINT-ÉMILION : voir UGNI BLANC.

• SANGIOVESE (rouge, semi-classique) : ce cépage croît en Toscane où il sert à fabriquer le chianti. Dans le meilleur des cas, il produit des vins qui ressemblent passablement aux très bons bordeaux. C'est un cépage peu répandu dans le monde bien qu'on tente de l'implanter en Californie, où il produit des vins bien balancés sur lesquels on fonde beaucoup d'espoir.

• SAUVIGNON BLANC (blanc, classique) : ce cépage produit les excellents sancerre et pouilly-fumé. Même si le sauvignon blanc n'a pas la réputation de vieillir en beauté (on recommande de le boire deux ans après l'avoir mis en bouteilles), il n'empêche qu'il est de plus en plus apprécié parce qu'il est à l'image de notre siècle : nerveux, sec, désaltérant et rafraîchissant. Il dégage des parfums très aromatiques aux saveurs végétales et herbacées.

• SÉMILLON (blanc, classique) : cultivé dans le monde entier, le sémillon est souvent utilisé pour le coupage des vins. Cependant, il peut donner d'excellents vins comme le sémillon australien de Hunter Valley.

Peu cultivé aux États-Unis (qui lui préfèrent le chardonnay et le riesling), il donne des vins corrects, mais un peu mous.

• SHIRAZ : voir SYRAH ou PETITE SYRAH.

• SYRAH (voir aussi PETITE SYRAH) : cépage cultivé presque uniquement dans la vallée du Rhône, où on produit les excellents vins hermitage et côte rôtie. Très populaire en Australie où il compte pour 40 % des cépages noirs, la syrah est un cépage doté d'une robe d'un rouge profond. Robuste, charpenté et tannique, la syrah est un vin de garde dont le potentiel est plus grand qu'on ne le pense généralement.

• SYLVANER (blanc, commun) : ce cépage est en perte de vitesse principalement à cause de son absence de nez. Il donne un vin un peu insipide et qui pourtant est extrêmement agréable à boire parce qu'il est léger. À vrai dire, il ne manque ni de corps ni d'acidité. Comme il dégage peu de parfums, il risque d'être remplacé par d'autres cépages plus typés.

• THALIA : voir UGNI BLANC.

• THOMPSON SEEDLESS (blanc, commun) : c'est un des cépages les plus cultivés en Californie, où on produit une quantité phénoménale de raisins dans la région de San Jaoquin. Le thompson seedless sert à faire des raisins secs connus sous le nom de Sultana. Il donne un vin sans saveur, utilisé pour couper d'autres cépages au goût trop marqué.

• TOCAI FRIULANO (blanc, peu cultivé) : cultivé dans le Frioul, en Italie, il produit des vins légers au goût floral et de noix qu'on boit très jeunes. On croit qu'il pousse au Chili sous le nom de cabernet vert.

Aux États-Unis, il produit un vin aux arômes intenses de fruits verts. Son acidité est moyenne. On le vinifie souvent pour faire du vin doux en créant un vin riche, gras et moelleux.

• TRAMINER (blanc, semi-classique) : nom donné jusqu'au siècle dernier (et encore de nos jours) au gewurztraminer.

• TREBBIANO : voir UGNI BLANC.

• VALDIGUIÉ (rouge commun) : voir NAPA GAMAY.

• UGNI BLANC (blanc, semi-classique) : l'ugni blanc occupe le 4e rang au classement mondial. On le connaît sous plusieurs noms selon les lieux où il est planté (saint-émilion et clairette en France ; trebbiano en Italie ; thalia au Portugal ; white shiraz en Australie). C'est un cépage qui se cultive sans problème et qui donne des vins acidifiés, clairs, agréables à boire et sans prétention, qui servent aussi de vins de coupage pour augmenter le taux d'acidité de certains vins ou pour atténuer certains vins trop lourds. On l'utilise aussi en France pour fabriquer le cognac.

VERDICCHIO (blanc, commun) : il doit son nom à la couleur jaune verdâtre de son raisin. C'est un cépage qui ne quitte guère l'Italie où il est cultivé depuis le XVe siècle dans la région d'Ancône et dans la région de Macerata. Même s'il a peu émigré, il est cultivé sur une large échelle puisqu'il occupe le 15e rang au classement mondial. Il n'est pas particulièrement facile à cultiver et donne des vins plutôt impersonnels, mais sa forte acidité en fait un vin idéal pour les mousseux.

WELSCHRIESLING (blanc, commun) : même s'il porte le nom de riesling, il n'est pas originaire d'Allemagne où du reste on fait tout pour le déprécier ! On croit qu'il serait originaire de France. Il donne en général des vins peu acides, pas très corpulents, mais très aromatiques. Quand on le vendange très tardivement, comme c'est le cas dans le nord-est de l'Italie et en Autriche, il donne des vins superbes.

Le welschriesling occupe le 16e rang au classement mondial. Il est surtout cultivé dans les pays de l'Est (Roumanie, Bulgarie, Hongrie, Yougoslavie). Il donne un vin de coupage.

- WHITE SHIRAZ : voir UGNI BLANC.
- ZINFANDEL : l'origine du zinfandel est obscure. On arrive mal à déterminer d'où il fut importé. Même si un récent test d'ADN a montré sans conteste qu'il est de la même famille que le primitivo d'Apulia (sud de l'Italie), les passionnés du zinfandel s'obstinent à lui attribuer une origine plus mystérieuse, prétendant, pour faire valoir leur point de vue, qu'il est né avant le primitivo d'Apulia !

C'est le cépage à tout faire aux États-Unis : il constitue le vin de base des vins de table et il sert à produire du rosé autant que des vins exceptionnels. C'est un vin aux grandes possibilités. Certains viticulteurs lui ont incontestablement donné ses lettres de noblesse : bien charpenté, robuste, aux saveurs de baies rouges, il est souvent épicé et poivré. Fort en tannin, portant un bon taux d'alcool, profond et complexe, c'est un vin qui pourrait avoir la même longévité que le cabernet-sauvignon. Ce n'est pas peu dire !

Bibliographie

ASSINIWI, Bernard, *Faites votre vin vous-même*, Montréal, Bibliothèque québécoise (BQ), 1994, 210 p.

AUBRY, Jean et Véronique DHUIT, *L'abécédaire des vins, bières, cidres et spiritueux*, Montréal, Les Éditions Logiques, 1996, 304 p.

DEBUIGNE, Dr Gérard, *Larousse les vins*, Paris, Larousse, 1991, 338 p.

FADIMAN, Clifton et Sam AARON, *Wine Buyers Guide*, New York, Harry N. Abrahams Inc. Publishers, 1977, 168 p.

JOHNSON, Hugh, *Le guide mondial du connaisseur du vin. Vins, vignobles, vignerons*, Paris, Robert Laffont, 1983, 546 p.

JOBÉ, Joseph (dir.), *Le grand livre du vin*, Lausanne, Edita, 1982, 534 p.

LICHINE, Alexis, *Vins et vignobles de France*, Paris, Robert Laffont, 1979, 514 p.

PEYNAUD, Émile, *Le goût du vin*, Paris, Dunod, 1980, 242 p.

RIBÉREAU-GAYON, Jean *et al.*, *Traité d'œnologie. Sciences et techniques du vin*, tome 2, Paris, Dunod, 1975, 556 p.

ROBINSON, Jancis, *Le livre des cépages*, Paris, Hachette, 1988, 282 p.

ROBINSON, Jancis, *Guide to Wine Grapes*, Oxford New York, Oxford University Press, 1996, 240 p.

ROBINSON, Jancis (dir.) *The Oxford Companion to Wine*, Oxford/ New York, Oxford University Press, 1994, 1090 p.

WOSHEK, H. G., *Les vins*, Paris, Vander Oyez, 1978, 254 p.

Index

B

C